Le Palais de TOPKAPI

SABAHATTIN TÜRKOĞLU

NET®
TURISTIK YAYINLAR
SANAYI VE TICARET A.Ş.

Publié et distribué par:

NET TURİSTİK YAYINLAR A.Ş.

Şifa Hamamı Sok., No.18/2, 34400 Sultanahmet-İstanbul/Turquie
Tel: (90-212) 516 32 28 - 516 82 61 Fax: (90-212) 516 84 68

236. Sokak No., 96/B Funda Apt., 35360 Hatay-İzmir/Turquie
Tel: (90-232) 228 78 51 - 250 69 22 Fax: (90-232) 250 22 73

Kışla Mah, 54. Sok., İlteray Apt., No.11/A-B, 07040 Antalya/Turquie
Tel:(90-242) 248 93 67 - 243 14 97 Fax: (90-242) 248 93 68

Yeni Mahalle Saatçi Hoca Cad. Dirikoçlar Apt., No:43 50200 Nevşehir/Turquie
Tel: (90-384) 213 30 89 - 213 46 20 Fax: (90-384) 213 40 36

Texte: **Sabahattin Türkoğlu**
Photographies: **Nadir Ede, Süleyman Kaçar, Haluk Özözlü**
Mise en page: **Not Ajans**
Composition: **AS & 64 Ltd. Şti.**
Imprimé en Turquie par: **Şahinkaya Matbaacılık**

TABLE DES MATIERES

FOUNDATION, SITUATION	7
LA PORTE IMPÉRIALE ET LA PREMIÈRE COUR	13
LA PORTE DU SALUT (BÂBÜ'S-SELAM) ET LA SECONDE COUR	17
LES CUISINES	22
USTENSILES DE CUISINE EN MÉTAL	25
SECTION DES PORCELAINES DE CHINE	26
PORCELAINES DU JAPON	30
VERRES ET PORCELAINES D'ISTANBUL	32
PORCELAINES D'EUROPE	34
L'ARGENTERIE	35
LES ARMES	37
LA SALLE DU CONSEIL (KUBBEALTI, SOIT ''SOUS LA COUPOLE'')	41
LA PORTE DES EUNUQUES BLANCS	42
ENDERUN OU TROISIÈME COUR	46
LA SALLE D'AUDIENCE	50
LES CONTUMES DE SULTANS	52
LE TRESOR	55
LES PORTRAITS DE SULTANS	68
LES PENDULES	71
SECTION DU MANTEAU DU PROPHETE ET DES RELIQUES SAINTES	74
LA BIBLIOTHÈQUE D'AHMET III	82
LES PAVILLONS	85
LE CABINET DU MÉDECIN EN CHEF	91
LE HAREM	92
LA VIE AU HAREM	104

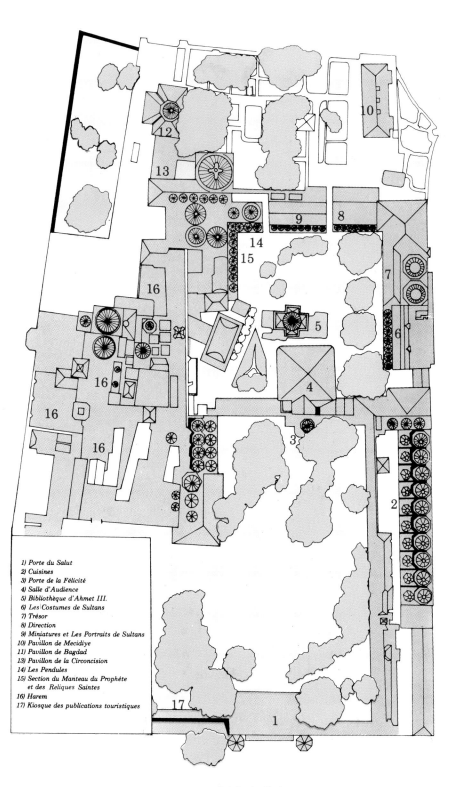

1) Porte du Salut
2) Cuisines
3) Porte de la Félicité
4) Salle d'Audience
5) Bibliothèque d'Ahmet III.
6) Les Costumes de Sultans
7) Trésor
8) Direction
9) Miniatures et Les Portraits de Sultans
10) Pavillon de Mecidiye
11) Pavillon de Bagdad
13) Pavillon de la Circoncision
14) Les Pendules
15) Section du Manteau du Prophéte
    et des Reliques Saintes
16) Harem
17) Kiosque des publications touristiques

Plan général du Palais de Topkapı.

La Porte du Salut.

FONDATION, SITUATION

Le Palais de Topkapı, situé sur un vaste terrain clos d'une muraille, couvre tout l'espace compris entre la Pointe du Sérail et **Sainte Sophie. Le mur d'enceinte,** renforcé de place en place par des tours, est percé de 7 portes, dont 4 du côté du continent et 3 en bordure de mer. La plus importante d'entre elles est **la Porte Impériale**(Bâb-ı Hümayun), située derrière Sainte Sophie.

La construction du premier corps de bâtiment et du mur d'enceinte fut réalisée en 13 ans environ (1465-1478). Par la suite, sous les règnes successifs des sultans, il subit des transformations et des agrandissements, dont on peut généralement connaître l'auteur grâce aux **toughra** (çalligraphie décorative du nom du sultan formant le signe impérial) ou aux inscriptions qui figurent sur la construction.

Vieux palais et nouveau palais:

Mehmet le Conquérant, après la prise d'Istanbul, résida un certain temps dans un palais qu'il avait fait élever à l'emplacement actuel de l'Université de Beyazıt. Puis, il fit construire un autre palais à la Pointe du Sérail et vint s'y installer. Ce dernier s'appela alors le "Nouveau Palais" et celui de Beyazıt devint le "Vieux Palais".

Le nom de Topkapı était à l'origine celui d'un des pavillons du nouveau palais, qui était situé à l'extrémité de la Pointe du Sérail, en bordure de mer. Après la destruction de cet édifice par un incendie en 1862, son nom fut donné à l'ensemble du palais.

L'abandon de l'ancien palais pour le nouveau concerna tout d'abord le personnel officiel et militaire, puis le harem s'y transporta également.

On prétend que c'est Roxelane, une des femmes de Soliman le Magnifique, qui s'installa la première dans le nouveau harem. Après l'établissement du sultan et de toute sa suite dans le nouveau palais, l'ancien fut réservé aux femmes et concubines des souverains défunts.

Sultan Mehmet le Conquérant.

L'endroit où fut bâti le palais de Topkapı se trouvant à l'époque de la conquête couvert d'oliviers, il était connu sous le nom de **"l'oliveraie".** D'ailleurs, les historiens indiquent que Mehmet le Conquérant n'a pu trouver en ce lieu un édifice byzantin susceptible de lui servir d'habitation. Toutefois, nous savons d'après les historiens byzantins, ainsi que par les découvertes archéologiques actuelles, qu'il existait sur la colline et sur ses pentes des restes d'anciennes constructions. En effet, ceci se vérifie aisément si l'on considère le niveau du sous-sol de la Salle du Trésor, les piliers de soubassement du côté de la Pointe du Sérail **(Saint-Siméon, Ve siècle),** ainsi que les constructions et fragments architecturaux qui ont été mis au jour lors de différentes fouilles effectuées du côté de la Marmara, de même qu'à l'intérieur du palais. Les historiens byzantins rapportent qu'à l'époque de Théodose s'élevaient à cet endroit **trois temples grecs** qui furent convertis en églises. L'un d'entre eux, dédié au dieu soleil, serait devenu une grande église (probablement Sainte Sophie). Quand on regarde l'église de **Sainte Irène** qui se trouve dans la première cour, cette affirmation semble plausible.

Il est probable que l'on démolit les temples et que l'on construisit des églises à leur emplacement, en réemployant les matériaux. De même, une fois franchie **la seconde porte** (la Porte du Salut), on découvre sur la droite, devant les cuisines, **un énorme chapiteau** ainsi que des fragments de colonne. On ne sait pas à quel bâtiment ont appartenu ces restes que l'on peut dater des V°, VI° siècles.

Les raisons qui, vraisemblablement, incitèrent Mehmet le Conquérant à choisir cet endroit pour l'édification de son nouveau palais sont tout d'abord **la position stratégique de la colline et ensuite la remarquable beauté** de ce site, appelé l'oliveraie, et de **son panorama.**

De nos jours, seuls les principaux bâtiments de cet ensemble qui couvre une surface d'environ 600.000 m² sont utilisés comme salles de musée; le reste du terrain étant occupé par ce qui constituait autrefois les grands jardins privés, les vergers, les terrains de jeux (cirit, tombak , etc.), avec des kiosques et pavillons disséminés çà et là. On peut voir encore un certain nombre de ces édifices, tels que le Kiosque aux Carreaux de Faience (**Çinili Köşk**) et le Pavillons des Vanniers (**Sepetçiler Kasrı**). **Les jardins privés** sont devenus un parc public (**Gülhane Parkı**).

Le Palais est constitué de plusieurs cours en enfilade qui communiquent entre elles par de grandes portes et du Harem. Aucune porte n'est située exactement en face de l'autre. Dans les palais occidentaux, l'ordonnance des bâtiments monumentaux est régie par des règles strictes de symétrie. İci, rien de tel. L'ensemble du palais de Topkapı est marqué par une conception simple et modeste.

La surface occupée par les quatre cours en enfilade est de 370 m de long sur 220 de large: après **la Porte Impériale,** c'est la première cour, puis après **la Porte du Salut** ou Seconde Porte (Babüsselam), la seconde cour; ensuite, après **la Porte de la Félicité** ou Porte des Eunuques Blancs ou encore Porte du Milieu (Babüssaade où Akagalar kapısı ou Orta kapı) vient la troisième cour et, enfin, la quatrième qui est appelée le Jardin du Précepteur (Lala bahçesi).

En général, il y a peu d'unité d'ensemble apparent dans les bâtiments du palais. Les causes en sont diverses. Tout d'abord, chaque sultan effectuait des additions suivant son gré et sa fantaisie. Ensuite, les architectes marquaient les diverses constructions de leur propre conception et style. D'où les grandes différences de styles et techniques que l'on peut y observer. Tout particulièrement en ce qui concerne la partie du Harem, des aménagements et additions ayant été effectués à la hâte pour satisfaire des nécessités pressantes, on ne peut y distinguer un plan bien défini. En outre, des transformations y furent apportées à la suite de sinistres, tels qu'incendies et tremblements de terre. Si l'on tient compte de tous ces éléments, on peut considérer le Palais de Topkapı comme un véritable musée de l'architecture de palais turque, qui résume à lui seul nombre d'influences et évolutions subies par cet art au cours des siècles.

Principales étapes de construction du palais;

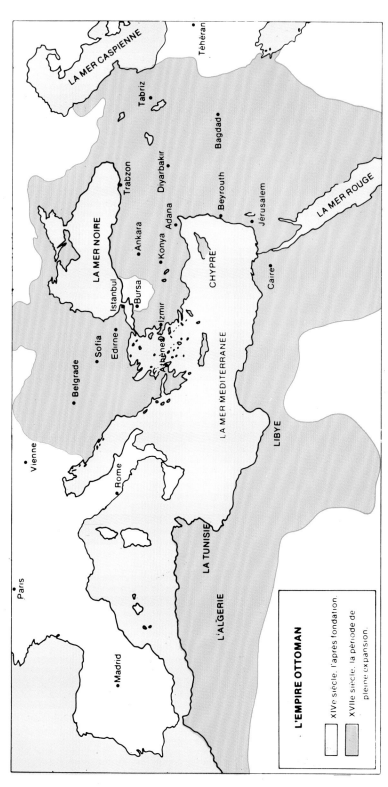

Empire ottoman (1299-1922).

Téhéran

LA MER CASPIENNE

Tabriz

Bagdad

Trabzon

Diyarbakir

LA MER ROUGE

Beyrouth

Jérusalem

LA MER NOIRE

Ankara

Konya

Adana

Istanbul

Bursa

CHYPRE

Caire

Izmir

Sofia

Belgrade

Edirne

Athènes

LA MER MÉDITERRANÉE

LIBYE

Vienne

Rome

LA TUNISIE

Paris

L'ALGÉRIE

Madrid

L'EMPIRE OTTOMAN

XIVe siècle, l'après fondation.

XVIIe siècle, la période de pleine expansion.

11

- Première construction par Mehmet le Conquérant (1478).

- Importantes réparations effectuées par Bayezıt II, après un tremblement de terre survenu à Istanbul et qu'on a considéré comme un petit cataclysme.

- Edification de la Chambre Impériale ou Cabinet Impérial (Has Oda) par sultan Selim pour y déposer les reliques saintes au retour de la campagne d'Egypte (1512-1520), ainsi que de la partie du Harem qui est attenante.

- Reconstruction des cuisines détruites par un incendie et réfection de certaines parties du Harem et du quartier des Hallebardiers à tresses à l'époque de Murat III (1574-1595).

- Reconstructions effectuées dans le Harem après un incendie, à l'époque de Mehmet IV (1648-1687).

- Par la suite, sous les règnes de Mahmut Ier, Osman III, Abdülhamit II, Selim III et Mahmut II, importantes additions et constructions, effectuées principalement dans la partie du Harem. Une inscription ornée d'une toughra indique qu'à l'époque de Mahmut II d'importants travaux furent exécutés.

Toutefois, toute inscription placée au-dessus des portes ou en différents endroits des murs, accompagnée d'une toughra et de dates, n'indique pas forcément que le souverain mentionné est l'auteur des travaux. Car, pour différentes raisons, les inscriptions ont pu être changées ou bien remplacées par d'autres, dans le seul but de flatter le sultan régnant. D'ailleurs, la coutume de placer la toughra du souverain au-dessus des inscriptions devient fréquente seulement à partir du règne de Mahmut II.

Vue Générale du Palais de Topkapı.

La Porte Impériale.

LA PORTE IMPÉRIALE ET LA PREMIÈRE COUR

La Porte Impériale (Bab-ı Hümayun) est située derrière Sainte Sophie, dans le mur qui entoure le palais, C'est la plus importante des portes qui donnent accès à l'intérieur de l'enceinte du palais. Construite à l'époque de Mehmet le Conquérant, elle fut l'objet de restaurations sous Mahmut II et Abdülaziz. Les toughra de ces sultans apparaissent au-dessus de la porte. C'était la porte monumentale par où le souverain entrait et sortait en grande pompe. A l'intérieur de cette porte, il y a de chaque côté des loges de portiers. D'après les documents d'archives et les miniatures, il semble qu'il ait existé au-dessus de cette porte, à l'époque de Mehmet le Conquérant, un pavillon qui dut être démoli par la suite.

Dans la première cour à laquelle donne accès la Porte Impériale, il existait autrefois sur la droite et sur la gauche une série de bâtiments -tels que la Direction des Fondations pieuses, le Pavillon des Requêtes, le Dépôt de bois, l'Hôpital, le Four royal, la Poudrière, le Moulin et différentes dépendances pour le service du palais-, aujourd'hui disparus. Du côte gauche de la cour, on peut voir **Sainte Irène** - qui autrefois servait d'armurerie- et **l'Hotel de la Monnaie,** encore en assez bon état. L'église de Sainte Irène, qui date du VI° siècle, est maintenant un musée. Autrefois, dans l'Hôtel de la Monnaie, non seulement on frappait monnaie, mais

13

14

La Fontaine Ahmet III.

L'église Sainte Irène.

aussi on y fabriquait pour le Palais de la vaisselle d'or et d'argent ainsi que des bijoux. Le plus intéressant de tous les bâtiments disparus était le Pavillon des Requêtes, situé sur la gauche avant la Seconde Porte. Chaque jour s'y tenait l'un des vizirs. Il écoutait les requêtes des gens, qu'il rapportait ensuite au Conseil des Ministres pour y être examinées. On peut en déduire que la première cour était ouverte à tous ceux qui avaient des plaintes ou requêtes à présenter. Au bout du mur de droite, se trouvait la Fontaine du Bourreau où l'on exécutait les coupables et la Pierre de l'Avertissement où l'on exposait leurs têtes.

On peut également parvenir à cette cour en passant par la porte du parc de Gülhane, appelée autrefois Porte de la Source froide (**Soğukçeşme kapısı**). A côté de cette dernière, sur le mur d'enceinte, fut édifié **un pavillon** qui permettait aux sultans de suivre les diverses cérémonies (construit en 1806). Cet édifice se situe exactement en face de **la Sublime Porte (Bab-ı Ali)**, qui était la résidence du grand vizir (et qui par extension, désigna le gouvernement de l'Empire ottoman).

Le mur qui s'étend tout au long de la première cour, du côte de la Marmara, fut construit au siècle dernier. Derrière celui-ci se trouvaient l'intendance, les fours et diverses dépendances.

La Porte Impériale (d'après M. d'Ohsson).

La Porte Du Salut (Bâbü's-Selam) Et La Seconde Cour

La Seconde Porte est maintenant **l'entrée du musée**. Avec **les deux tours** terminées en cônes qui la flanquent et son couronnement crénelé, elle rappelle une porte médiévale. On prétend d'ailleurs que c'est Soliman le Magnifique qui, au retour des campagnes en Europe de l'Est, aurait fait construire ces tours à l'imitation de celles des forteresses occidentales. Cependant, nous savons d'après les sources du XV° siècle qu'elles existaient déjà à cette époque. Sur la porte de fer est inscrite la date de 1524.

A l'intérieur de cette porte, il y avait des pièces réservées aux portiers en chef. Cet endroit est connu dans l'histoire du Palais de Topkapı sous le nom de **"l'entre-deux-portes"** (kapı arası) et c'est là que furent arrêtés, avant de franchir la porte, des vizirs et autres hauts personnages. Il y a d'ailleurs à l'intérieur des tours des réduits sombres qui ont l'apparence de cachots. Les grands vizirs arrivaient à cheval jusqu'à cette porte, puis pénétraient à pied à l'intérieur du palais.

Autant l'extérieur de la Seconde Porte présente un aspect guerrier, autant le côté donnant sur la Seconde Cour offre un caractère chaud et intime. On y remarque les larges portiques aux plafonds ornés, et aux toits en avancée, dont la décoration baroque date du XVIII° siècle. La porte est ornée des **toughra** de différents souverains et d'inscriptions de caractère religieux.

Cèrèmonie de fête religieuse dans la Seconde Cour. D'après M. d'Ohsson 1790.

La Seconde Cour était appelée également **la Cour des Cérémonies.** C'est là que furent vécus des jours et événements importants de l'histoire du Palais et de l'Empire ottoman. Et surtout, c'est dans cette cour que se situait **la Salle du Conseil** d'où fut gouverné tout l'Empire, 400 ans durant. C'est là encore qu'étaient distribués aux janissaires leurs salaires (ulufe), là qu'on leur donnait des banquets. Enfin, c'est là qu'avaient lieu des cérémonies telles que les réceptions d'ambassadeurs, les conseils tenus debout, les félicitations lors des jours de fête et les serments d'allégeance.

Vue de l'extérieur des cuisines dans la seconde cour.

La Tour de la Justice et la Salle du Conseil.

Le Seconde Cour: à droite, les Cuisines, à gauche, la Salle du Conseil. D'après le Hünername (1584).

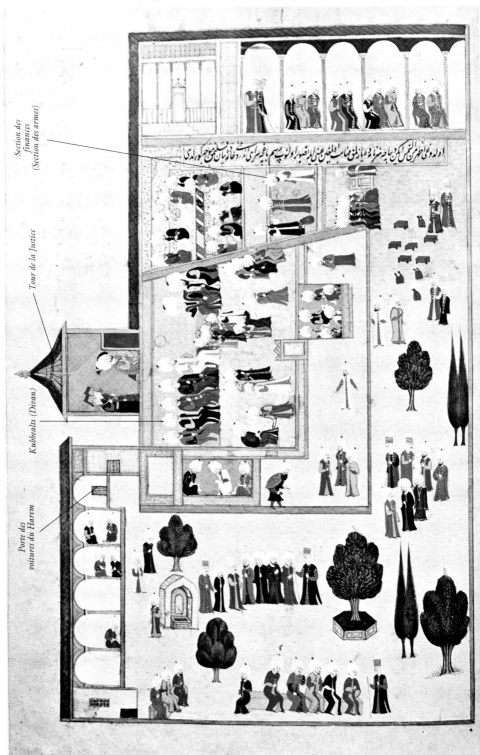

Section des
finances
(Section des armes)

Tour de la Justice

Kubbealtı (Divan)

Porte des
voitures du Harem

Porte des
Eunuques blancs

Cuisines

Bâbü's-Selam

21

Dans cette seconde cour, on a trouvé d'importants restes de **constructions byzantines.** Dans l'allée centrale, ont été mis au jour plusieurs canaux ainsi qu'une citerne dont on peut voir encore la couverture de briques. En effectuant des fouilles dans la partie ouest de la cour, on a également trouvé un énorme chapiteau des V-VI° siècles - comme nous l'avons signalé plus haut-, ainsi que des sarcophages en porphyre. Deux d'entre eux, sortis de terre au milieu du XIX° siècle, ont été placés dans la cour de Sainte Irène. Etant donné qu'à l'époque byzantine, les sarcophages en porphyre étaient plus particulièrement destinés aux empereurs et aux membres de leurs familles, on peut supposer qu'il exista à cet endroit un mausolée ou bien une église. Car, il est peu probable que des sultans ottomans aient fait transporter à cet endroit des sarcophages trouvés en divers sites d'Istanbul.

La cour est entourée sur les quatre côtés de **portiques.** Derrière ceux du côté droit, se trouvent les bâtiments des cuisines, derrière ceux de gauche **les dortoirs des hallebardiers** à tresses, ainsi que **les écuries** pour les chevaux du palais. De ce même côté, dans l'angle nord de la cour, est située la porte de **sortie du Harem - maintenant l'entrée-, puis la salle appelée "Sous la Coupole" (kubbealtı)**, où se réunissaient les vizirs sous la présidence du Grand Vizir; puis une autre salle, qui était autrefois le Trésor et où sont exposées maintenant les armes. Un large allée relie la Seconde Porte et celle des Eunuques Blancs, les deux ouvertures ne se situant pas sur un même axe. Cette porte des Eunuques Blancs - dite encore **La porte de la Félicité -,** frappe le visiteur par sa majesté et sa splendeur.

LES CUISINES

Pour passer de la Seconde Cour à la partie des Cuisines, il y a trois portes, appelés dans l'ordre où elles se présentent: Portes de la Direction de l'Intendance,

La cour pavée des Cuisines.

Les Cuisines et une partie des Confiseries.

Transport des repas dans des plats en cuivre posés sur des plateaux.

Un coin de la Confiserie du Palais, ou l'on confectionnait le "Helva".

Vue Générale des Cuisines.

des Cuisines impériales et des Confiseries. **Les bâtiments des cuisines** s'alignent des deux côtés d'une longue allée pavée et forment un coin pittoresque du palais. Quand on passe la première porte, dite de la Direction de l'Intendance, on se trouve en face de deux bâtiments qui servaient autrefois d'intendance et de dépôt d'huile. Ils sont utilisès actuellement comme **dépôt d'archives** et réserve des tissus. En face, ce qui était à l'époque ottomane le bureau de l'intendance abrite maintenant les ateliers de restauration du musée. Si l'on avance en direction du nord, on rencontre sur la droite (du côté de la Marmara) un édifice en bois qui est l'ancienne mosquée des Cuisiniers. En face de celle-ci se situait autrefois les dortoirs du personnel des cuisines. L'un d'entre eux a été transformé en salle d'exposition des porcelaines européennes et de l'argenterie. A la suite de la mosquée des Cuisiniers, s'étendent les cuisines du palais où sont exposées maintenant les porcelaines japonaises et chinoises. Ce vaste bâtiment a été reconstruit et agrandi par l'architecte Sinan à la suite d'un incendie survenu en 1574. **Les cheminées cylindriques** sont caractéristiques de cette époque. Au bout de l'allée, une ancienne mosquée ainsi que les Confiseries abritent les collections de verres et de porcelaines d'Istanbul. Dans ces cuisines, on préparait autrefois environ quatre mille repas par jour, différents selon qu'ils étaient destinés au Harem ou au personnel du Palais. Dans les confiseries, on confectionnait toutes sortes de sirops et de sucreries comme l' helva, de l'électuaire et des confitures.

USTENSILES DE CUISINE EN MÉTAL

Les confiseries sont le seul endroit où l'on trouve exposés les ustensiles de cuisine, les plats et autres objets ainsi que les grands chaudrons dans lesquels on cuisait les repas pour les nombreux occupants du palais. Elles offrent l'intérêt de montrer les objets dans leur véritable cadre, alors que les cuisines n'ont pas gardé leur fonction première, mais ont été transformées en salles de musée.

Les casseroles, les plats, les bols, les plateaux et les cruches sont généralement décorés de motifs typiquement turcs. Parfois, ils portent une date ou l'indication du service de l'intendance auquel ils appartenaient ou bien une inscription avec   le nom du personnage qui en avait fait don. La plupart de ces objets sont faits simplement en cuivre martelé. Par la suite, ils furent ornés d'un décor gravé ou incisé.

A partir du XVIII°   siècle apparut la mode des objets en tombac. Un certain nombre de ces pièces, qui pour la plupart sont des mortiers, datent de l'époque seldjoukide.

Il existe peu d'objets des XV et XVI° siècles, excepté quelques chandeliers. Les autres pièces appartiennent aux XVII-XIX° siècles.

Les Cuisines, Plats en métal.

SECTION DES PORCELAINES DE CHINE

La vaisselle traditionnelle en terre et en cuivre, utilisée dans les premiers temps dans les palais ottomans, fut remplacée, quand l'Empire eut atteint une époque de richesse et de splendeur, par des objets en or et en argent.

L'introduction au Palais de porcelaines d'origine chinoise s'effectua à partir du milieu du XVI° siècle. Les principales raisons de son adoption furent probablement sa qualité supérieure, sa solidité et sa finesse. En outre, c'était un produit d'importation coûteux, que seuls pouvaient acquérir les princes et les hauts personnages de l'Empire ottoman ou des autres grandes puissances de l'époque. En outre, la porcelaine dite **céladon** avait la propriété de révéler si le mets qu'elle portait renfermait du poison ! Le nombre des porcelaines de Chine qui sont entrées au Palais, par diverses voies, dépasse le chiffre de 10.000. La collection de Topkapı, par son abondance et sa variété, compte parmi les plus importantes du monde.

''Bleu et Blanc'' (XVe Siècle).

L'histoire de la poterie remonte en Chine aux environs de 1.500 Av. J.C. Mais l'art de la porcelaine de Chine a atteint sa réelle renomméeen l'espace de cinq dynasties, au X° giècle. Puis, aux époques suivantes, cette réputation se maintint et la porcelaine devint un important produit d'exportation vers le X° siècle. Ce n'est que beaucoup plus tard qu'elles furent connues en Europe.

Au musée de Topkapı, elles sont groupées suivant les diverses dynasties auxquelles elles se rattachent : -Song   (960-1279)
-Yuan   (1280-1368)
-Ming   (1368-1644)
-Ch'ing   (1644-1912)

et suivant les techniques, céladons, porcelaine bleu et blanc, monochrome et polychrome. **La production Song,** par sa variété et par sa qualité, est de tout premier ordre.

Cruche et bol bleu foncé. Epoque Ming.

On trouve au musée de Topkapı un nombre important de céladons appelés par les Turcs **"Martabani"**, car on les exportait depuis le port de Martaban, à Burma. Les céladons sont célèbres pour leurs teintes vert pâle, l'intensité de leur émail et la solidité de leur vernis. Ils sont ornés essentiellement de motifs géométriques floraux, de dragons et de poissons, qui le plus souvent sont traités en relief. Les formes les plus courantes des céladons sont assiettes, vases, bols et aiguières.

Le cobalt qui permet de donner une teinte bleue à la céramique était connu au XI° siècle dans les pays islamiques, surtout en Iran. Les Chinois en introduisant le cobalt dans l'art de la porcelaine y apportèrent un grand progrès. L'emploi du cobalt sous une couverte émaillée commença au XIV° siècle et se poursuivit jusqu'au XIX°. C'est ainsi que naquit une production de porcelaine dite **"bleu-et-blanc"**, dont les plus belles pièces sont celles des époques Yuan et Ming. Dans la collection du musée de Topkapı, les porcelaines bleu et blanc datent principalement de l'époque Ming. Parmi ces pièces, un vase à col cylindrique à large panse provenant d'Annam (Vietnam) offre l'intérêt d'être daté (1450).

A l'époque Ming, l'exportation de porcelaines dans les pays d'Europe était particulièrement importante. Dans la collection du musée de Topkapı, on trouve en bonne quantité de grands plats, dits **kraak**, portant un décor de cartouches. Des assiettes au décor grossier, des pots ornés de quatre petites anses, des bols, plats et aiguières émaillés marron ou bleu marine, sont caractéristiques de la production de cette époque. On fabriquait également en ce temps-là de la vaisselle blanche à décor linéaire, polychrome ou jaune sans décor.

Plats Céladon (XIII° Siècle).

Porcelaine de Chine. Brûle-parfum avec additions métalliques de facture turque ottomane (XVI° s.).

A partir du XVI° siècle, les porcelaines qui étaient destinées à être exportées dans les pays occidentaux, étaient fabriquées sur commande, selon les voeux et goûts de ces pays. Certaines pièces ont été exécutées tout spécialement pour le Palais de Topkapı et elles portent des inscriptions coraniques ou autres en caractères arabes. Certaines ont été faites sur l'ordre de l'Empereur de Chine qui voulait les offrir au sultan régnant.

En parcourant la salle des porcelaines, on remarque que sur certains objets, cruches, bols ou pots, ont été rajoutés des pierres incrustées, de l'or ou des éléments rapportés en argent ou en plaqué or, tels que couvercles et anses. Ces additions ont été effectuées par les artistes du sérail pour satisfaire au goût turc.

La production de porcelaine, qui marqua un temps d'arrêt sous **les dynasties Ch'ing,** reprit un remarquable essor sous l'impulsion de l'empereur K'ang-hsi et fut de nouveau exportée. C'est à cette époque qu'apparurent de nouvelles productions telles que celle dite **"Famille Verte",** puis celle de **la "Famille Rose",** tandis que celle des **"Bleu et Blanc"** se poursuivait.

Plat. Epoque Ming.

PORCELAINES DU JAPON

Les porcelaines du Japon qui se trouvent au musée de Topkapı étaient fabriquées spécialement pour l'exportation et employées surtout comme éléments décoratifs. Les pièces datées des XVII-XVIII° siècles sont appelées **"Imari"**, du nom du port d'où elles étaient expédiées. Les porcelaines du Japon conservées au musée de Topkapı sont au nombre de 730.

Différents types de porcelaine du Japon (XIX° s.).

Différents types de porcelaine du Japon (XIX° s.).

VERRES ET PORCELAINES D'ISTANBUL

C'est au XIX° siècle et sur l'initiative des sultans qu'eut lieu la production la plus importante de verres et porcelaines en Turquie.

Parmi les pièces exposées, on voit des objets en verre et en terre qui appartiennent aux arts traditionnels turcs. Des fume-tabac, des embouts de narguilé, des tasses à café, des encriers et plumiers, etc., faits en terre brune, noire ou de teinte naturelle, ornés de dorures, qui s'appellent du nom de leur lieu de fabrication, **Tophane.**

Les verreries telles que verres torsadés, opalines, verres de couleur, cristal, cristal de roche, étaient fabriquées essentiellement dans des ateliers situés sur la rive asiatique d'Istanbul. Cette production du XIX°¡siècle est connue sous le nom de

Porcelaine de Yıldız. Pot à couvercle avec une vue de la Seconde Porte du Palais de Topkapı.

Beykoz. La première manufacture de porcelaine fut fondée à **Beykoz** du temps d'Abdülmecit. Elle produisit des pièces de la qualité de celles de Vienne et de Saxe, qui portent la marque **"eser-i Istanbul"** (fait à Istanbul) et le signe du **croissant et de l'étoile** (emblème du drapeau turc). Ces oeuvres étaient pour la plupart destinées au Palais ou bien étaient commandées par le sultan pour faire des cadeaux. Après la fermeture de cette manufacture, une autre fut créée par les soins d'Abdülhamit II dans le parc du **palais de Yıldız.** Des artistes et artisans aussi bien Turcs qu'étrangers y travaillaient et sa production était également destinée en majeure partie au Palais.

Les objets en forme de vase, assiette, et les services à thé étaient décorés de motifs d'inspiration occidentale, de fleurs et de peintures de paysages. On peut trouver sur certains services à thé toute la série des portraits de sultans, sur d'autres la toughra d'Abdülhamit II. Toutes les pièces sont datées et portent la marque de fabrication.

Porcelaines "Yıldız" du XIXe Siècle.

PORCELAINES D'EUROPE

La collection des porcelaines européennes est avec ses 5.000 pièces l'une des plus riches du musée. La fondation en Turquie d'une manufacture de porcelaines s'inspirant des porcelaines européennes conservées au Palais remonte à des années. Le rôle d'Abdülhamit II dans ce domaine fut très important. C'est de son temps également que fut créé un petit musée de porcelaines européennes dans le palais de Yıldız. Les relations étroites qui existaient à l'époque entre la Turquie et la France jouèrent un rôle important dans cette affaire, car l'on fit venir à Istanbul des spécialistes francais. La majeure partie des porcelaines d'Europe, ainsi que d'autres objets, furent transportées du palais de Yıldız à celui de Topkapı. Presque toutes les pièces proviennent des pays d'Europe à titre de présents: **porcelaines d'Allemagne, de Vienne, de Russie,** datées des XVIII° et XIX° siècles.

En ce qui concerne l'Allemagne, la collection du musée de Topkapı comporte un grand nombre de pièces provenant de **Meissen,** de diverses époques, et de Berlin. **Les porcelaines de Vienne** sont de pâte dure et à fond rouge. Comme dans bien d'autres cas, son décor est d'inspiration chinoise. Les porcelaines françaises provenant de **Sèvres, Limoges** et **Fontainebleau,** sont également bien représentées dans les collections du musée.

On trouve dans cette section des objets en cristal de **Bohême** - les plus réputés d'Europe-, ainsi que de **Venise, d'Irlande** et de **France.** Ces pièces,-ainsi que de nombreux types de verres de toutes sortes-, ont été introduites au Palais à titre de cadeaux.

Tant par la technique que par les formes, ces pièces portent la marque caractéristique des ateliers européens. Dans de rares cas, on a donné à l'objet qui était destiné à être offert, une forme et un décor turcs.

Porcelaines de Sèvres (1816).   *Vase provenant de Suède (1885).*

L'ARGENTERIE

Le musée possède 3.000 pièces, dont seulement une partie est exposée. A ce que l'on sait, on utilisait beaucoup d'objets en argent dans les palais ottomans. Ils provenaient soit des ateliers du sérail, soit de divers ateliers d'Istanbul et étaient offerts aux sultans. Un certain nombre d'objets étaient également envoyés de l'étranger **en cadeaux.**

La plus ancienne pièce de la collection est un bol en argent ayant appartenu à Soliman le Magnifique, dont il porte la toughra. On trouve également un grand nombre d'objets en argent,de différentes formes, portant les toughra de sultan Ibrahim, Mehmet IV, Ahmet III, Abdülaziz et Abdülhamit, ou ayant appartenu aux femmes des sultans. Cette collection comporte en particulier des **objets qui ont été offerts à Abdülhamit II.** à l'occasion de la célébration de sa vingt-cinquième année de règne. Parmi ceux-ci on trouve des objets en forme de bâtiments, de monuments ou de fontaines.

Reproduction en argent de la fontaine d'Ahmet III, offerte à Abdülhamit II pour le 25ème anniversaire de son règne.

D'un type tout différent quant à la forme et au décor, il existe aussi un certain nombre de pièces en argent provenant d'Europe, marquées d'un poinçon.

Argenterie européenne (XIXe Siècle).

LES ARMES

Les armes que l'on peut voir exposées dans l'ancien bâtiment du Trésor ne représentent qu'une faible partie de l'importante collection du musée. Celle-ci est constituée principalement des armes abandonnées par l'ennemi sur les champs de bataille, de celles qui ont été exécutées dans les ateliers de l'Empire et surtout du Palais, et enfin des armes qui ont été envoyées au Palais par les souverains de divers pays.

Dès les premiers temps, on eut coutume de conserver au Palais **les armes des sultans et grands personnages de l'Empire.** Les plus anciennes armes sont entrées au Palais surtout après la campagne d'Egypte de Selim Ier. Elles sont extrêment précieuses pour l'histoire de l'art des armes. Selim Ier avait rapporté au Palais non seulement les armes des souverains et des chefs d'armée avec lesquels il avait combattu, mais aussi les épées du prophète Mahomet et des quatre grands califes des débuts de l'Islam, **objets de vénération pour le monde islamique.**

Ainsi, à partir de cette époque, on commença à rassembler dans les trésors du Palais, outre des armes turques, **des armes arabes, mameloukes et iraniennes.**

Exemple type de bouclier turc, en jonc avec métal au centre et décoré de motifs floraux (XVIᵉ s.).

Les épées provenant d'Iran, des territoires mamelouks et turcs, ont généralement en commun certaines particularités. Elles sont, dans les premiers temps, droites et à deux tranchants, puis peu à peu leur forme change et elles deviennent courbes et n'ont plus qu'un tranchant. L'épée de Mehmet le Conquérant est un intéressant spécimen d'épée turque.

En ce qui concerne les armures, on observe également des caractères communs et seulement quelques faibles différences. La cotte de maille était renforcée aux endroits les plus vulnérables du corps par des plaques d'acier. On sait que l'on portait sous les armures des chemises ornées d'inscriptions de versets du Coran ou des noms des grands de l'Islam. Les plaques de métal portaient également ce genre d'inscriptions. Dans la section des armes, sont exposés des casques, des hallebardes, des haches, des arcs, carquois et flèches, des lances, provenant d'Iran ainsi que des territoires mamelouks et turcs et présentant des formes différentes.

Les Toughra Turques.

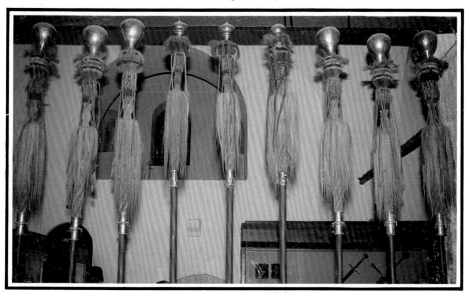

Haches mamelouques.

Fusils Turcs (XVIIIᵉ - XIXᵉ Siècle).

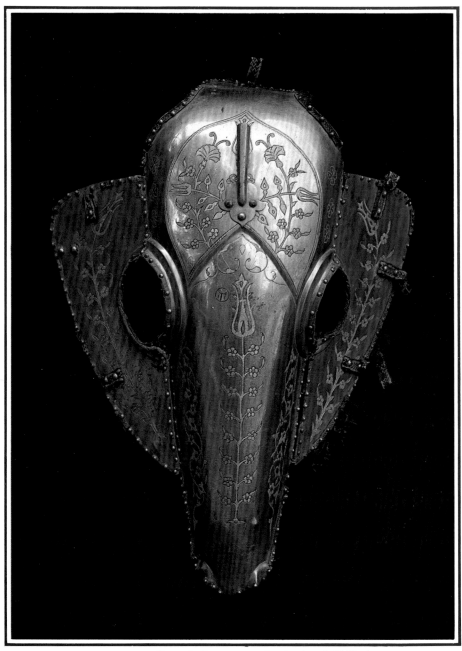

Protection à mailles métalliques pour tête de cheval (XVI° s.).

On trouve également quelques armes européennes, prises à la guerre ou envoyées en présent, ainsi qu'un bouclier indien et une armure japonaise.

Parmi les armes à feu, il y a de nombreux fusils et pistolets des XVII - XIX° siècles, ornés d'incrustations de nacre, d'ivoire, de métal précieux et de pierreries. Après la conversion du palais de Topkapı en musée, les armes de grande valeur en raison de leurs incrustations furent exposées dans la section du Trésor. Celles du Prophète et des grands de l'Islam sont présentées dans les salles des Saintes Reliques.

La Salle du Conseil (Kubbealti)

La Salle du Conseil est l'endroit où les vizirs et quelques hauts personnages dirigeaient les affaires d'Etat et prenaient les décisions importantes. C'est pourquoi, ce lieu tient une place de tout premier plan dans l'histoire de l'Empire ottoman. Il a eu la même fonction pendant 400 ans environ. Le bâtiment a subi à plusieurs reprises des réparations et transformations. Son aspect et son décor actuels datent de l'époque de Selim III et de Mahmut II. Attenante à cette salle, s'élève une tour, appelée **Tour de la Justice** et dont la partie supérieure date du XIX° siècle. Dans cette tour, il y a **une fenêtre grillagée** qui ouvre sur la Salle du Conseil. Autrefois les sultans présidaient le Conseil des Ministres. Mais sous le règne de Soliman le Magnifique, un homme du peuple pénétra dans la salle et se plaignit d'une manière quelque peu inconvenante devant le sultan et, à la suite de cet incident, on décida que dorénavant le souverain assisterait à la réunion du Conseil sans être vu. C'est pourquoi le sultan se tint désormais derrière cette fenêtre grillagée, appelée ''le lieu d'écoute du sultan''. Les sultans qui suivaient de là les débats et les prises de décisions, frappaient parfois à la fenêtre pour interrompre la réunion. Ce geste signifiait qu'il voulait que le Grand Vizir lui fît un rapport dans la Salle d'Audience. Le fait de pouvoir suivre à tout moment les réunions du Conseil, permettait au souverain de veiller personnellement à ce que des décisions fâcheuses ne soient prises.

Les vizirs traitaient au Divan (Conseil) des affaires d'Etat et examinaient les requêtes des gens du peuple, puis ils mangeaient tous ensemble. A proximité de la salle de réunion se trouvaient le secrétariat où s'effectuaient toutes les écritures, les pièces où l'on conservaient tous les documents, les salons de repos et de thé.

Rèception d'un ambassadeur dans la Salle du Conseil; gravure, d'après M. d'Ohsson.

LA PORTE DES EUNUQUES BLANCS

La Porte de la Félicité qui donne accès à la Troisième Cour fait face à la Salle d'Audience et s'appelle aussi de ce fait la **Porte de l'Audience.** Son aspect actuel remonte au XVIII° siècle. Il y a au-dessus de la porte une inscription coranique et la toughra de Mahmut II.

Cette porte fut le théâtre d'événements importants du Palais et même de l'histoire ottomane. Car, il était de tradition que s'effectuassent devant cette porte les cérémonies d'accession au trône (cûlus), d'allégeance au souverain (biat), de funérailles. De même, c'est là qu'avaient lieu les séances du Conseil effectuées debout, les échanges de félicitations lors des jours de fête, là que l'on écoutait les doléances des janissaires et du peuple, là que s'effectuait la remise du drapeau au Grand Vizir, chef suprême des armées, lorsqu'il partait en campagne. Un certain nombre de miniatures et de peintures nous permettent de revivre ces scènes avec précision. En outre, dans un ouvrage intitulé "Le livre des cérémonies", il est expliqué' en détails la façon dont elles se déroulaient. Il est certain que la plus importante de ces cérémonies était, à la mort d'un sultan, celle des funérailles, puis de l'accession au trône du nouveau souverain. Car les funérailles, l'intronisation et . autres cérémonials s'effectuaient   toutes   le même jour, en ce même lieu, devant cette   porte.

La Porte de la Félicité, vue de face.

Selim III reçoit les félicitations pour le jour de fête (bayram), devant la porte des Eunuques Blancs (d'après Kapıdağlı Konstantin).

Quand on franchit la porte, on pénètre dans un large passage avec une cheminée. A gauche, se trouve le dortoir des Eunuques Blancs et, à droite les appartements des eunuques de la Porte de la Félicité, qui étaient des eunuques de haut rang et des personnages influents dans le Palais.

Démonstration de la fanfare militaire ottomane devant la Porte de la Félicité. ⟶

Enderun est un mot qui signifie **"intérieur";** c'est un endroit où le sultan se rendait fréquemment et qui jouait un rôle important dans sa vie quotidienne. Tout le pourtour de cette cour est occupé par les dortoirs des pages de **l'Enderun (ou "iç oğlanları", les pages de l'Intérieur),** qui surveillaient le bon fonctionnement des divers services du palais ou du sultan. Les pages qui venaient ici avaient été sélectionnés dans des écoles extérieures au palais de tout premier ordre, et entraient au service du sultan tout en continuant à recevoir un enseignement. L'école du palais était d'un haut niveau et on y donnait un enseignement à la fois théorique et pratique. Les pages, après avoir suivi les cours des petites, puis, des grandes classes, s'initiaient à l'apprentissage de diverses branches du service ou de métiers, ainsi qu'aux beaux-arts, tels que musique et calligraphie. Mais il ne leur était pas possible de recevoir une formation militaire.

Il y avait quatre catégories de services: les pages attachés au sultan et qui étaient, à son service personnel au Palais et aussi dans les expéditions militaires, d'où leur

Enderun ou Troisième Cour. Gravure, d'après W.H. Bartlett (1839).

nom de **Seferli** (de campagne); ensuite, ceux attachés au Trésor, à l'Intendance et à la Chambre Impériale. Les pages Seferli entretenaient le linge du sultan et s'adonnaient aux beaux-arts, **ceux du Trésor** avaient la garde du Trésor et **ceux de l'Intendance** la charge et la surveillance des repas du sultan; **ceux de la Chambre Impériale** gardaient les Reliques Saintes. Ces derniers, parmi les différentes catégories de pages, étaient les plus proches du sultan.

Aujourd'hui, les dortoirs des pages **Seferli** abritent les collections de costumes; dans l'ancien pavillon de Mehmet le Conquérant et dans la Salle du Trésor est exposé le Trésor; dans les dortoirs des pages de l'Intendance a été installée la Direction du musée; ceux des pages du Trésor abritent la galerie des portraits de sultans ainsi qu'une salle d'expositions temporaires. Le quartier des pages de la Chambre Impériale, qui se trouve à côte de la Salle des Reliques Saintes, a été converti en salle de musée. Dans la mesure du possible, on a essayé - comme on peut le constater-, de concilier les nouvelles fonctions des bâtiments avec les anciennes.

Le sultan reçoit un ambassadeur dans la Salle d'Audience (d'après M. d'Ohsson.)

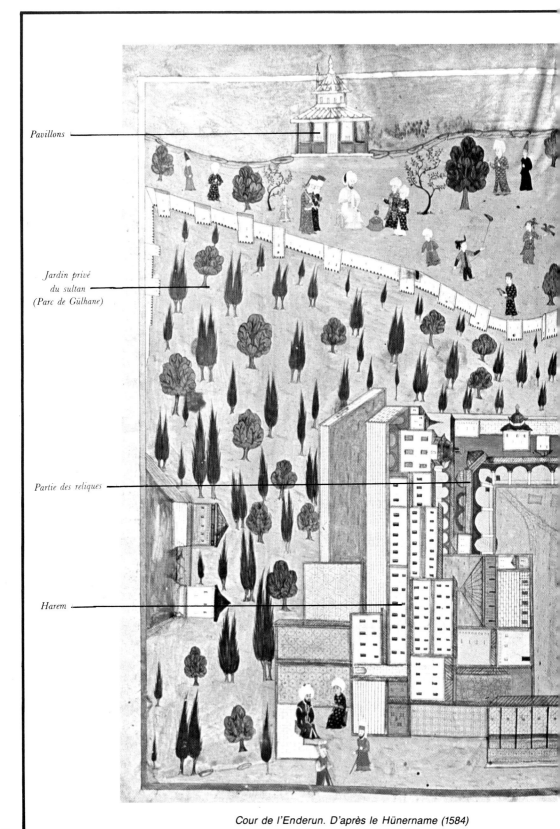

Pavillons

Jardin privé
du sultan
(Parc de Gülhane)

Partie des reliques

Harem

Cour de l'Enderun. D'après le Hünername (1584)

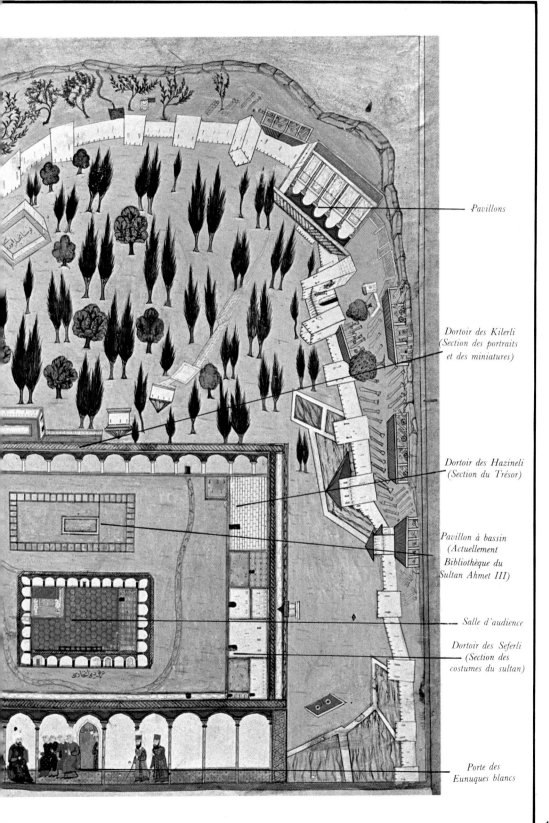

Pavillons

*Dortoir des Kilerli
(Section des portraits
et des miniatures)*

*Dortoir des Hazineli
(Section du Trésor)*

*Pavillon à bassin
(Actuellement
Bibliothèque du
Sultan Ahmet III)*

Salle d'audience

*Dortoir des Seferli
(Section des
costumes du sultan)*

*Porte des
Eunuques blancs*

49

LA SALLE D'AUDIENCE

Après avoir passé la Porte de la Félicité, on se trouve juste en face de la Salle d'Audience. Le toit en avancée soutenu par 20 colonnes, les balustrades de marbre, le revêtement de carreaux de faience et la fontaine qui se trouve sur la façade, témoignent du soin particulier apporté dans cette construction.

Après la Porte de la Félicité qui, comme nous l'avons vu, était l'endroit où se déroulaient des cérémonies officielles du palais, la Salle d'Audience était également un lieu important de cérémonies. C'est là que siégeait le sultan, sur **un trône à baldaquin.** Il y recevaient les ambassadeurs étrangers ainsi que les hauts personnages de l'Etat sous la présidence du Grand Vizir. On trouve dans les miniatures et les gravures des représentations de ces scènes. Ici avaient lieu des cérémonies régies par un protocole qui leur était propre.

On peut voir dans cet édifice des carreaux de faience datant du XV° siècle. Le baldaquin à l'intérieur de la salle a été construit sur l'ordre de Mehmet III. Le dais soutenu par quatre colonnes torsadées porte un décor laqué où apparaissent principalement des motifs floraux et d'animaux légendaires. A la place du trône, on peut voir un tissu et des coussins rehaussés de pierres précieuses Dans un placard situé derrière le trône, autrefois étaient conservés les turbans de sultans.

Tout autour de l'édifice, il y a un passage pour circuler, avec un escalier qui descend dans la cour du côté de la bibliothèque d'Ahmet III. Le bâtiment se · présente dans son dernier état après les transformations opérées au XIX° siècle.

La Salle d'Audience, vue extérieure.

La Salle d'Audience, vue intérieure.

Le Trône Impérial dans la Salle d'Audience

LES CONTUMES DE SULTANS

Bien que cette section s'intitule "Costumes de sultans", elle comporte plus particulièrement **des caftans,** qui étaient le vêtement de dessus traditionnel des sultans et, en général,des Turcs. Il était porté sur les vêtements de dessous. Long et ouvert sur le devant, il était retenu à la taille par une ceinture en cuir ou en tissu et fermé au-dessus par des boutons ou des brandebourgs. On peut voir exposés des caftans doublés de fourrure ou bien faits d'un mince tissu non doublé, confectionnés dans les célèbres étoffes turques telles que soie brochée, brocart, étoffe en poil de chèvre , etc. (**çatma, kemha, sof**). Le caftan est un type de vêtement très ancien que portaient les Turcs d'Asie Centrale, bien avant de venir en Anatolie. C'était un objet que l'on offrait en présent aux hommes d'Etat et aux chefs militaires pour les services rendus. A cette tradition était   liée   toute une série de cérémonies et coutumes.

Sous le caftan, on portait un autre vêtement turc traditionnel, le şalvar (sorte de culotte bouffante). Ce n'est que sous le règne de Mahmut II, sous l'influence des relations avec l'Europe, que l'on commença à porter le pantalon.

De nos jours encore, suivant une coutume toujours en vigueur, on conserve enveloppés dans un linge les vêtements du père de famille après sa mort.De même, après la mort du sultan et de certains hauts personnages, on plaçait leurs vêtements dans le tombeau (türbe) qu'ils s'étaient fait construire. C'est pour cette raison que l'on peut voir au musée de Topkapı les costumes de tous les sultans à partir de Mehmet le Conquérant. Cet ensemble nous permet non seulement d'observer la série des caftans impériaux, mais aussi de mieux connaître les célèbres étoffes turques. D'ailleurs, des échantillons de ces tissus sont exposés dans une petite pièce attenante à la grande salle des Costumes.

Salle des Costumes de Sultans dans la 3. Cour, vue intérieure.

Une partie des tissus, tels qu'étoffe en poil de chèvre ,crèpe de soie sauvage, bouracan (**sof, bürümcük, çuha**), sont unis, sans dessins. Des étoffes de soie, comme le **canfes** (fin taffetas, et **l'atlas** (sorte de satin), ont parfois des motifs. Parmi les étoffes turques célèbres, le **kemha** (soie brochée), le **çatma** (brocart de velours de Brousse), le **seraser** (sorte de brocart avec des fils d'or), sont bien

Caftan de sultan en soie brochée (XVI° s.).

connus pour leurs motifs, qui peuvent changer toutefois à certaines époques. Aux XIV° et XV° siècles, les motifs sont très gros. Puis, à partir de la fin du XV° , ils deviennent plus petits, mais plus variés. Aux XVI° et XVII° siècles, la fabrication des étoffes montre un grand progrès. En ce qui concerne **les types de motifs** utilisés aux XIVᶜ XV° et même encore au XVI° siècle, ils sont originaires de l'Asie Centrale, tels qu'anneaux imbriqués l'un dans l'autre, points et nuages chinois (tchis), etc. Par la suite apparaissent des motifs végétaux,dont les plus courants sont l'oeillet,la tulipe, les rinceaux, des branches d'arbre au printemps, des feuilles, des grenades, des pommes.

Quant aux costumes des femmes du sérail, ils n'ont malheureusement pas été conservés avec le même soin. En outre, après la mort d'un sultan, ses femmes et sa mère étaient immédiatement éloignées du Palais; ses filles quittaient le Palais, soit dans les mêmes circonstances, soit lorsqu'on les mariait.

Le caftan en brocart de velours de Mehmet le Conquérant.

Soliman le Magnifique en caftan doublé de fourrure.

Le Caftan en brocart de velours de Brousse (XVI° Siècle).

Le Caftan en soie brochée (XVI° Siècle).

LE TRESOR

Le pavillon que Mehmet le Conquérant avait fait édifier sur des restes byzantins fut utilisé par la suite comme salle du Trésor. Lorsque le palais fut transformé en musée, on corserva à ce bâtiment sa fonction. On peut voir encore dans le sous-sol de l'édifice une construction ressemblant à une petite chapelle. Ce bâtiment, connu comme le ''pavillon de Mehmet le Conquérant'' fut très probablement la première résidence des souverains dans l'enceinte du palais et il faut remarquer qu'à l'époque de sa construction, vers les années 1478, le Harem n'existait pas encore. Cette première demeure aurait été transformée en Trésor par Selim Ier. Comme on le sait, c'est sous le règne de ce souverain que le Trésor impérial connut sa plus grande prospérité. D'ailleurs, pendant des siècles, le Trésor fut scellé du sceau de Selim Ier. L'ouverture et la fermeture du Trésor impérial étaient effectuées par les pages attachés au Trésor et s'accompagnaient de cérémonies particulières.

Entre le Trésor et le quartier des pages **Seferli**, qui abrite actuellement la collection des costumes de sultans, se trouve un hammam. Le souverain qui le fit bâtir, Selim II, y aurait trouvé la mort en glissant sur le pavage. L'une des quatre salles du Trésor communique avec ce hammam.

Les pièces qui sont exposées dans les diverses salles du Trésor ont toujours, en fait, - et pendant des siècles-, été conservées à cet endroit; mais on n'y a gardé que les objets précieux en or et en argent, ornés de pierreries, les autres ayant été répartis dans les sections concernées (Porcelaines, Costumes, Pendules, etc.) On trouve également des objets précieux non classés par genres et techniques, dans la Salle du Manteau du Prophète et dans celle des Reliques Saintes, qui font face au Trésor

Salle du Trésor, vue extérieure.

de l'autre côté de la cour. On voit là des objets de tous types ¡et faits en diverses matières -excepté le cuir et le tissu-, surtout en or et argent, avec des incrustations de pierreries. Ce sont principalement des ustensiles domestiques, des objets d'ornement et des armes. En outre, jusqu'à une époque récente, des tissus précieux ainsi que des pièces de harnachement incrustées de pierreries étaient exposés dans cette salle.

A l'origine, et jusqu'au XV° siècle, il régnait dans l'ameublement des palais ottomans une grande sobriété. On n'utilisait guère d'objets en or et en argent. Mais ces coutumes d'austérité, dues soit-disant aux croyances religieuses, furent abandonnées lors de la croissance de l'empire et le palais ottoman connut alors une ère de grande splendeur. Des voyageurs et des ambassadeurs, qui purent voir le palais de Topkapı et participer à des réceptions, ont rapporté avec quelle magnificence se déroulait la vie au sérail. En effet, on sortait à cette occasion les services de table en or et argent, incrustés de pierreries, et l'on revêtait des costumes et des parures de prix, afin d'éblouir les invités étrangers.

Les objets exposés dans la salle du Trésor sont de provenances diverses et peuvent être classés comme suit;

1. exécutés dans les ateliers du sérail
2. offerts par des hommes d'état étrangers
3. apportés de divers territoires de l'Empire ottoman

Gourde de cérémonie (XVI° s.).

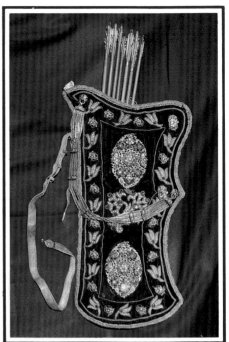

Carquois d'étoffe avec applications de pastilles en or.

4. exécutés dans d'autres villes sur la commande des vizirs ou du grand vizir pour être offerts au sultan; ou bien restés au sérail après la mort de ces personnages.

Les objets qui étaient fabriqués dans les ateliers du sérail étaient généralement exécutés suivant les désirs et le goût du souverain. De même qu'il n'est pas toujours possible de classer les objets par genres et techniques, il est très difficile de leur trouver des caractères communs qui permettent de déterminer des écoles. D'autre part, parmi les objets exécutés au sérail, mis à part les manuscrits, les miniatures et les armes, il y a en a très peu qui portent une signature.

Dans la section du Trésor, on trouve surtout des objets faits en divers métaux tels que or, argent, zinc et tombac. Un petit nombre sont en ivoire, en corail, bois ou porcelaine. Tous ces objets peuvent être ornés de diamants, émeraudes, rubis, perles ou émaux. Les diverses techniques employées pour l'exécution des décors sont l'ajouré, le repoussé, la gravure ou l'incision, le nielle. Parfois, on y ajoute un décor appliqué. Les orfèvres, qui étaient plus d'une centaine au XVI° siècle, constituaient l'une des corporations d'artisans du sérail (**Ehli hiref**).

Etant donné qu'il n'était pas coutume de faire entrer au Trésor, par quelque voie que ce soit, les objets et bijoux ayant appartenu aux femmes du sérail, on trouve très peu de parures féminines dans cette section.

La section du Trésor se compose de quatre salles. On ne peut y trouver de classement ni par ordre chronologique, ni par genres, ceux-ci n'étant pas toujours bien définis. Toutefois, on rencontre fréquemment groupés dans une même salle des objets de même type.

Dans la première salle sont exposées principalement des objets en or ou en tissu rebrodé de perles. Ce sont différents **instruments de guerre** - depuis la cotte de mailles jusqu'à la dague-, ornés de pierres précieuses. Il s'agissait plutôt, en fait, d'objets d'apparat. On peut voir également dans cette salle des vases et pots en métal incrusté de pierreries, des objets en or, ainsi que deux pièces remarquables:

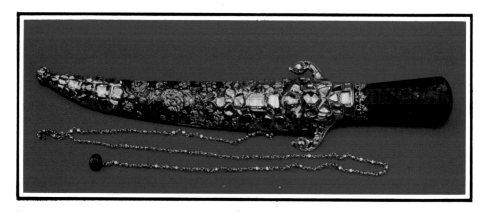

Poignards à décor émaillé avec incrustations de diamants.

une maquette de palais chinois et **une boîte à musique en forme d'éléphant** exécutée en Inde. La plupart de ces objets ont été offerts en présents au sultan soit par l'étranger, soit par des pays de l'Empire ottoman.

Du côté nord de la vitrine centrale sont exposées différentes petites pièces, qui sont chacune un chef-d'oeuvre d'orfévrerie et qui mériteraient d'être étudiées en détail. Dans la longue vitrine placée devant le mur, on peut voir des cadeaux de prix offerts à Abdülhamit II pour sa 25 ème année de règne. Parmi ceux-ci, **une canne en ébène** incrustée de diamants, envoyée en présent par les musulmans de l'Inde.

La deuxième salle est consacrée surtout aux pièces ornées d'émeraudes. On peut voir ici toute une série d'ojets d'usages divers, qui montrent différentes qualités d'émeraudes, depuis la pierre brute jusqu'à la plus belle taille en passant par la demi-taille. Bien que n'étant pas une pierre aussi précieuse que l'émeraude, le béryl était abondamment employé dans les palais ottomans. On peut en voir un grand nombre dans la vitrine placée à droite près de la porte. Celles situées dans le mur de droite montrent des émeraudes qui ornaient les turbans des sultans ou leurs appartements. Les plus belles éméraudes sont sans conteste celles qui ornent le manche du poignard connu sous le nom de **"Poignard de Topkapı".** Il avait été envoyé par Mahmut I er au souverain d'Iran, Nader Chah, mais lors de son acheminement on apprit la nouvelle de la mort du chah et il fut retourné au Palais et déposé au Trésor. A l'extrémité de son manche est encastrée une montre avec un couvercle. Quelque temps auparavant, Nader Chah avait offert à Mahmut I er un trône fabriqué en Inde (exposé dans la quatrième salle).

Le trône exposé dans la deuxième salle appartint à Ahmet I er. Il est incrusté de nacre et possède un baldaquin orné de morceaux de cristal de roche et de pierres

Pendentif en or, orné de rubis et d'èmeraudes.　　Pendentif orné de d'émeraudes et de perles.

précieuses. Dans la vitrine du mur est on peut voir un autre cadeau fait à Abdülhamit II pour son 25 ème anniversaire de règne, **une coupe en jade** incrustée de pierreries, offerte par le tsar de Russie, Nicolas II.

On utilisait beaucoup de **cristal de roche** et de jade dans les ateliers du sérail. On peut observer parmi les objets en cristal de roche une certaine unité de style et les caractéristiques de l'art décoratif turc. Ils étaient faits suivant des formes déterminées et ornés de motifs végétaux, de placage d'or et de pierres précieuses. On trouve un échantillonnage de ces objets dans la longue vitrine située au nord de la salle.

Quand on passe dans la troisième salle, on remarque près de la porte, à gauche, une vitrine où est exposé un beau **berceau de prince** recouvert de plaques en or et orné de pierres précieuses. La même vitrine abrite l'une des plus belles pièces avec rubis du Trésor, **un pendentif** constitué d'un énorme rubis.

Dans cette salle, sont exposées plus particulièrement des cadeaux provenant essentiellement des pays d'Europe, décorations et objets incrustés de brillants. La plupart sont ornés de brillants, certains d'émaux. Ce sont surtout des services à dessert, à thé, café ou liqueurs. En ce qui concerne les décorations, elles furent offertes par des souverains d'Europe, de Russie ou d'Iran. La pièce la plus précieuse et la plus célèbre de cette salle est, assurément, le "Diamant du marchand de cuillers" (**Kaşıkçı elması**) C'est un diamant en forme de poire, à facettes, de 86 carats. Il est entouré en outre de 49 énormes brillants. D'aucuns pensent qu'il pourrait s'agir du célèbre diamant de Pigot, mais tout ce que l'on en

Turban à aigrette

Aigrette de sultan.

Aigrette pour cheval avec partie
centrale ornée de diamants.

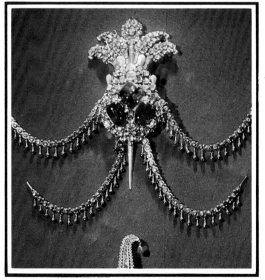

sait d'après les sources historiques, c'est qu'il a été trouvé dans un tas d'ordures au XVII° siècle. Il aurait été acheté contre trois cuillers par un brocanteur et de là viendrait son nom. Sa réelle valeur une fois reconnue, il aurait été apporté au Palais. Dans une des vitrines situées à gauche en entrant, sont exposées des bagues ornées de pierres précieuses, des broches et des boucles d'oreille, ainsi que trois autres diamants qui sont des objets historiques célèbres et qui s'appellent:

Etoile brillante (kevkeb-i Durri)

Lumière de la nuit (Şeb çirag)

Le diamant du Silahtar (Porteur d'armes) Mustafa Paşa,''Etoile brillante'', fut fait sur l'ordre d'Ahmet Ier pour la tombe du prophète Mahomet.

Le Trône de Fête.

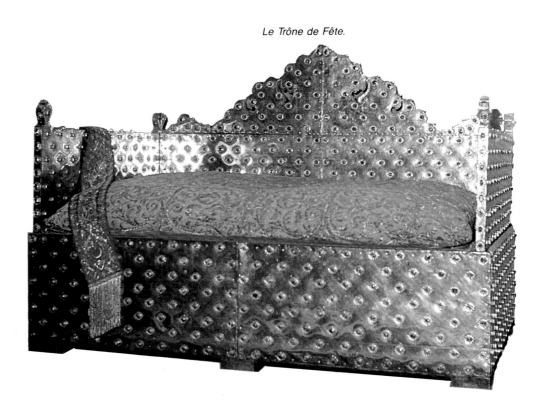

Décorations de l'époque d'Abdülhamit et d'Abdülmecit.

Le diamants dit ''Lumière de la nuit'' et ''Etoile brillante''.

Dans la même salle, on trouve également **deux chandeliers** en or massif pesant chacun 49 kilos, exécutés pour la Ka'ba sur l'ordre d'Abdülmecit. Ils sont ornés de milliers de diamants qui portent gravée la toughra du sultan. On peut voir également **le trône des Fêtes** (Bayram tahtı), recouvert d'un placage de feuilles d'or et incrusté de béryls. Ce trône était placé devant la porte des Eunuques Blancs et c'est là que le sultan recevait les félicitations de ses gens, les jours de fête. Ce trône, daté du XVI° siècle, apparaît dans un certain nombre de miniatures.

Quand on passe dans la **quatrième salle,** on remarque immédiatement dans la grande vitrine centrale **un trône de facture indienne.** Il est très beau avec son placage d'or, ses incrustations de pierres précieuses et son décor floral. C'est un cadeau de Nader Chah à Mahmut Ier (XVIII° siècle).

D'Iran également, on peut voir dans la vitrine située du côté de la mer, **des objets ayant appartenu à Chah Ismael,** tels que ceinture, brassard, coupe, qui furent rapportés par Selim Ier après la bataille de Çaldıran (1514).

Dans les autres vitrines sont exposés des objets de type tout à fait différent. On peut voir dans la première vitrine du mur nord des échiquiers en or et cristal de roche, incrustés de pierres précieuses, **des boîtes à tabac et à parfum**, etc.; dans les autres, des porcelaines de Chine, qui ont été ornées de pierres précieuses dans les ateliers du sérail. Dans la vitrine du mur nord sont présentés une reliure avec des incrustations d'or, une belle **collection de cuillers** faites dans divers métaux précieux, l'**épée du calife Osman, le yatagan de Soliman le Magnifique;** dans

Service à dessert orné de brillants, sur plateau d'or.

Trône incrusté de pierres précieusse, de facture indienne, offert par Nadir Chah à Mahmut Ier (XVIII° s.).

une autre vitrine, **des fusils** avec des incrustations d'ivoire.

Les masses d'armes en cristal de roche ou en métal, de même que les armes portant des incrustations, étaient plutôt utilisées dans les cérémonies par des personnages appartenant à l'entourage du sultan ou à sa famille. Ou bien, c'étaient des cadeaux de la part des artisans.

Parmi une série de **coffrets** de types variés, un coffret en bois de santal ayant appartenu à Uluğ Bey (XV° s.) est un véritable chef-d'oeuvre d'ébénisterie.

On peut voir, dans la vitrine située à gauche de la porte de sortie, **des reliques.** On pense qu'elles ont appartenu à saint Jean-Baptiste. Les os de sa main, de son bras et de son crâne sont conservés dans des châsses en métal incrusté de pierres précieuses. On ne possède pas de documents indiquant comment et d'où ces reliques sont parvenues au sérail. On sait seulement qu'elles ont fait l'objet de marchandage entre les chevaliers de Rhodes et la papauté d'une part et Beyazıt II d'autre part, à propos de Djem, fils de Mehmet le Conquérant et frère de Beyazıt (XV° siècle).

LES PORTRAITS DE SULTANS

Les portraits de sultans sont exposés actuellement au second étage du bâtiment qui servait autrefois de logement aux gardiens du Trésor, dans la Troisième Cour.

La collection est constituée de 37 tableaux, montrant toute la succession des sultans, par ordre chronologique. Outre cette série de portraits, il existe d'autres tableaux représentant des souverains ottomans, leurs femmes ou de hauts personnages, mais ils ne sont pas exposés. Une partie de ces oeuvres se trouvaient déjà au Palais de Topkapı, les autres y sont entrées par voie d'achat ou bien proviennent le différents palais.

On ne connaît le nom des artistes que pour un très petit nombre d'oeuvres. La plupart ne sont que des copies d'originaux. En effet, les portraits de Mehmet le Conquérant, Orhan Gazi et Selim II avaient été exécutés par des peintres italiens. Et c'est d'après l'oeuvre de Bellini, qui se trouve actuellement à la National Gallery de Londres, que le portrait de Mehmet le Conquérant a été copié en 1907 par un peintre du sérail, Zonaro. Quant au portrait de Soliman le Magnifique, il est sans doute aussi la copie d'un original du XVI° siècle.

Portrait de Selim Ier.

Portrait de Soliman le Magnifique, dit le Législateur.

Un certain nombre des tableaux exposés portent la signature de **Constantin de Kapıdağ,** artiste qui exécuta un nombre important d'oeuvres sur la commande de Selim III. Les portraits de Soliman II, Ahmet II, Mustafa II, de Selim III et une scène représentant les cérémonies du Bayram (fête), sont de sa main. Le portrait d'Abdülaziz a été peint par un polonais Clobowski, celui de Murat V par Aivazovsky et celui de Reşat par l'autrichien Krausz.

Murat IV. *Mahmut I.* *Ahmet III.*

Portrait de Selim III. D'après Kapıdağlı Konstantin.

70

LES PENDULES

Les pendules sont exposées dans l'ancienne salle du trésor du Silahtar (Porteur d'armes), dans l'angle nord de la troisième cour, à côté de la salle du Manteau du Prophète. Sur les 350 pendules utilisées au sérail à différentes époques, seulement la moitié est exposée. Elles datent pour la plupart des XVIII° et XIX° siécles.

Une trentaine de ces pendules sont de fabrication turque. Les autres proviennent d'Europe comme présents ou par voie d'achat. C'est à partir du XVI° siècle qu'a commencé la fabrication des pendules à Istanbul, les horlogers étant établis pour la plupart dans le quartier de Galata. Les plus anciennes pendules turques que l'on possède datent du XVII° siècle; elles sont au nombre de quatre. Par la suite, on fabriqua des objets qui s'inspiraient de l'horlogerie anglaise, puis au XIX° siècle, cet artisanat connut un grand essor.

La plupart des **pendules turques** portent une signature, ce qui permet de connaître les noms des artisans. Ces derniers savaient décorer avec beaucoup de goût les pendules, le cadran et le boîtier. Ces objets sont des exemples précieux de l'art de la bijouterie turc ainsi que du travail du bois et du métal.

Une vue de la salle des Pendules.

Les horlogers du XIX° siècle étaient pour la plupart **mevlevi** (secte mystique fondée par Djelâl oddîn Roumî). Pour cette raison, les pendules étaient parfois en forme de bonnets de **mevlevi.** Les horlogers avaient la protection du sultan.

Il y a également au Palais un grand nombre d'horloges d'origine étrangère. On trouve dans cette collection des objets de fabrication anglaise principalement, mais aussi **allemande, autrichienne, française, suisse et russe.** C'étaient des présents offerts par les hommes d'état européens, qui étaient apportés par les ambassadeurs. Comme les **pendules anglaises** étaient particulièrement au goût du jour, on fit venir de ce pays un grand nombre de ces objets de marque **Markwick-Markham.** De même, on acheta au XVIII° siècle un grand nombre de pendules françaises signées **Le Roy.**

Les pendules destinées à la Turquie, que ce soit en Angleterre ou en France, faisait l'objet d'une fabrication spéciale avec un cadran adéquat et parfois un décor de paysages d'Istanbul. Bon nombre d'entre elles étaient dotées d'un mécanisme musical.

Pendule anglaise avec orgue (XVIII° s.).　　　*Pendule turque avec console de bois.*

Section Du Manteau Du Prophete Et Des Reliques Saintes

Les objets ayant appartenu soit au prophète Mahomet soit à la Ka'ba furent conservés, après leur entrée au sérail, avec le plus grand soin. Les sultans ottomans considéraient comme de leur devoir, vis-à-vis de la communauté islamique, de veiller sur ces objets saints. Les châsses en or et en argent incrustées de pierreries et, tout particulièrement, les incrustations de pierres précieuses qui furent ajoutées sur les épées dans les ateliers du sérail, témoignent de ce souci. Les coffres, coffrets, et même les boîtes, qui furent confectionnés pour renfermer les objets saints, sont parmi les oeuvres les plus importantes du musée. L'endroit où ces reliques étaient conservées était sous la garde d'un personnel qui lui était propre et qui avait un statut à part.

Lorsque Selim Ier séjourna en Egypte, lors de la conquête de ce territoire, le chérif de la Mecque, Ebül Berakat, lui fit envoyer par son fils, Ebü Nümeya, les clés des Lieux Saints. D'après les sources historiques, il est probable qu'une grande partie des objets saints ayant appartenu au Prophète et à ses Compagnons, et qui se trouvent maintenant dans la salle des Reliques Saintes, furent apportés personnellement par le calife de l'époque, Mütevekkillillah III. En effet, ce dernier accompagna à Istanbul, au retour d'Egypte, Selim Ier pour lui transmettre le califat. Mais on sait que certains objets furent rapportés à une époque ultérieure. Les plus importants d'entre eux sont la "Lettre du Prophète" (à l'époque d'Abdülmecit) et l'une des épées du Prophète (sous le règne du sultan Reşat).

On peut classer les objets de la salle des Reliques Saintes, comme suit:

1. Les objets ayant appartenu au prophète Mahomet

2. Les épées des califes, des compagnons du Prophète et d'autres saints personnages.

3. Les objets usuels ayant appartenu, selon toute vraisemblance, aux califes, aux compagnons du Prophète, aux saints personnages et à d'autres prophètes.

4. Les Corans, les ouvrages traitant de religion, et les pages de calligraphie.

Les effets du Prophète - Le Manteau du Prophète

Parmi les objets ayant appartenu au prophète Mahomet, le plus important est, sans conteste, le Manteau du Prophète. Enveloppé dans un tissu précieux, il est conservé dans un coffret en or placé dans un autre coffre, également en or, que le sultan Abdülaziz fit faire spécialement à cet effet. L'intérieur du coffre est tapissé d'un tissu de laine noir, bordé d'un liseré crème. Le Manteau du Prophète a été successivement transmis aux Omeyades, puis aux Abbassides, puis apporté au palais de Topkapı par Selim Ier. Chaque année, le 15 du mois de Ramadan, le sultan venait vénérer le Manteau du Prophète au cours d'une cérémonie particulière.

Puit destiné à ramasser la poussière du Manteau du Prophète.

Les épées du Prophète

D'après les historiens, il existerait 9 épées du Prophète, dont l'une appelée Zülfikar aurait été donnée à Ali et dont une autre lui serait venue de son père. Seulement deux de ces 9 épées se trouvent au musée de Topkapı. Elles sont exposées dans la Salle du Trône, où est conservé le Saint Manteau. Elles sont ornées d'incrustations d'or et, pour l'une d'elles, de pierres précieuses. On peut voir une autre arme de guerre du Prophète, son arc, fait d'une sorte de bambou et conservé dans un étui doré.

"La Lettre du Prophète" ou "La Sainte Lettre"

C'est la lettre que Mahomet a adressée au souverain copte Mukavvas pour l'inviter à embrasser l'Islam. Elle a été trouvée par hasard en Egypte, collée à la couverture d'un vieux livre. Découverte par un savant français en 1850, elle a été offerte par la France au musée de Topkapı. Elle est écrite sur cuir, comporte 12 lignes manuscrites et porte le sceau du Prophète. Dans la salle du Manteau du Prophète, il y a six autres lettres, mais certaines d'entre elles sont illisibles.

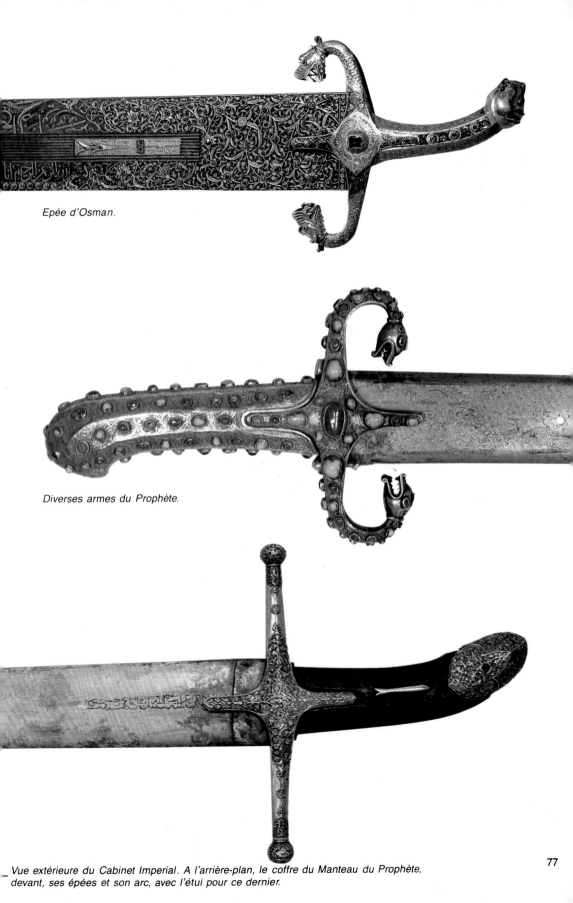

Epée d'Osman.

Diverses armes du Prophète.

Vue extérieure du Cabinet Imperial. A l'arrière-plan, le coffre du Manteau du Prophète, devant, ses épées et son arc, avec l'étui pour ce dernier.

Le Sceau du Prophète

D'après les historiens, le sceau du Prophète aurait été transmis au calife Abu Bakr, puis à Omar, puis à Osman, Mais ce dernier l'aurait fait tomber dans un puits. Le sceau qui est exposé a été trouvé à Bagdad vers le milieu du XIX° siècle et a été rapporté au palais de Topkapı.

La Dent du Prophète

Il s'agit d'un morceau de la dent du Prophète qui fut cassée lors de la bataille de Uhut. Il est conservé dans une châsse en or ornée de pierreries, exécutée sur l'ordre de Mehmet IV.

Les Poils de la barbe du Prophète

Dans la salle du Manteau du Prophète sont conservés environ 60 poils de la barbe du Prophète, répartis dans 24 boîtes ornées d'incrustations d'or et de pierreries ou de nacre. Certaines de ces boîtes sont exposées.

L'Empreinte du pied du Prophète

Il y a dans cette salle, 6 empreintes de pied marquées soit dans la pierre, soit

L'empreinte du pied du Prophète.

Gouttière provenant de la Ka'ba.

Serrure du Ka'ba.

Le Sceau du Prophète.

Le Coran, que l'on pense être celui d'Osman qu'il lisait quand il fut tué.

dans la brique. L'une d'entre elles est réputée être la pierre sur laquelle le Prophète posa le pied au moment de son ascension au ciel. Elle est conservée dans un cadre en or.

Le Drapeau sacré

Mahomet utilisait dans les batailles des drapeaux blancs et un drapeau noir. On peut voir exposé un drapeau noir, dit Ukap, conservé dans un petit coffre, qui aurait été rapporté d'Egypte par Hayirbay. Etant donné qu'il n'a pas été touché depuis des années et qu'il a dû subir les variations climatiques, il se trouve maintenant en très mauvais état. Par la suite, on confectionna un drapeau en soie verte auquel on cousut des morceaux du Drapeau sacré.

Autres épées saintes:

Dans cette salle, outre les deux épées de Mahomet, il y en a 20 autres. A part deux d'entres elles que l'on pense pouvoir attribuer à des compagnons du Prophète, on ne connaît pas les noms de leurs possesseurs. Un certain nombre d'entre elles, après leur entrée au Palais, ont été ornées d'incrustations d'or, d'argent et de pierres précieuses.

Voici la liste, par ordre chronologique, des épées des Saints personnages:

L'épée de David
L'épée d'Abu Bakr
L'épée d'Omar
L'épée d'Osman
L'épée d'Ali
L'épée de Zeynel Abidin
L'épée de Zübeyr İbn-i Al Avam
L'épée du secrétaire du Prophète, Ebul Hasan
L'épée de Jafer-i Tayyar
Les épés de Halid ben Velid
L'épée de Amman ben Yasir.

En outre, on peut voir quelques effets ayant appartenu aux compagnons du Prophète ou à de saints personnages, des objets provenant de la Ka'ba et des **Corans,** dont deux sont attribués à Osman et à Ali. **Les objets provenant de la Ka'ba** sont constitués d'anciens matériaux récupérés après des réparations effectuées par les soins des sultans. Parmi ceux-ci, les plus importants sont: **les châsses de la Pierre Noire, les gargouilles de la Ka'ba,** les tissus couvrant la Ka'ba et 34 **clés et serrures** d'une grande valeur artistique.

Vue de la Section du Manteau du Prophète.

LA BIBLIOTHÈQUE D'AHMET III

La bibliothèque qui se trouve derrière la Salle d'Audience est l'oeuvre, comme son nom l'indique, d'Ahmet III (1719). Elle renfermait 3515 manuscrits, turcs, arabes et persans. Lorsque le palais est devenu musée, ces manuscrits, ainsi que ceux conservés dans le pavillon de Revan, furent rassemblés dans la mosquée des Eunuques Blancs, qui est située à côté de la bibliothèque d'Ahmet III.

Ce bâtiment, qui se détache avec élégance au milieu du jardin de la Troisième Cour, a été construit sur un important soubassement pour éviter l'humidité nuisible à la conservation des livres. On accède à la bibliothèque par une double volée de marches, encadrant une jolie fontaine et conduisant à un étroit portique.

L'édifice comprend un grand nombre de fenêtres afin de donner l'éclairage nécessaire pour la lecture. Les murs intérieurs sont recouverts de carreaux de faïence du XVIᵉ siècle et les portes des placards à livres sont de remarquables exemples d'art décoratif turc, avec leurs incrustations de nacre et d'ivoire. Au-dessus des placards muraux sont inscrites les matières dont traitent les ouvrages. Sur le mur est placée une page de calligraphie exécutée par Ahmet III, qui fait partie des calligraphes de renom.

On peut voir également dans cette bibliothèque **le livre d'inventaire** et celui des donations, de même que **la pioche** avec laquelle furent posées les fondations. C'est avec le même instrument qu'avait été donné le premier coup de pioche pour la construction de la mosquée de Sultan Ahmet (Ahmet Ier).

Bibliothèque d'Ahmet III.

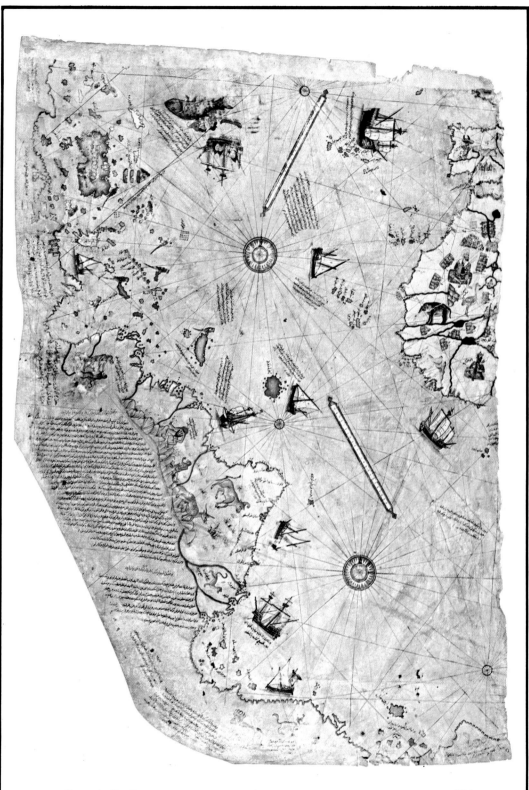

Carte de Piri Reis (1513). Côtes est de l'Amerique, côtes ouest de l'Europe et de l'Afrique

83

ورقه گلشه

خاک زمین خاک ننشش بغلتید برخاک رخسار پاک

کند از ماه مشک می افکندان سرو برخاک خشک

فریاد از این زیره بخت کی افکند برجان من بندسخت

فکند این تن نمی دانم چه خواهد همی زین د

کرد سر همی گفت ای داور داد گر

صبر وبی طاقتم نوده سیدی زین بلازاحم

سروواز زکنا بوسید رخساران نو بهار

بدرود باش بکلشه جنین کفت ازن زچشته دل توخشنود باشر

نال زاین ذن شدن ندانم کاجوز باشده آمدن

شده های های همی راندی جانبه برک هربای

آورد یکی زره لیکن پرنگار وزره پر گره

داد از نبی یاد کار نشست ازبر باره زاهوار

زاری کان خوشید کلشه کیسوکنات

LES PAVILLONS

Pour passer de la troisième à la quatrième cour, il y a trois ouvertures dont une est couverte. Plutôt qu'une cour, c'est une aire de repos avec ses pavillons disséminés dans de beaux jardins. C'est en ces lieux que les sultans et leurs familles passaient une grande partie de leur vie quotidienne. C'est là que se déroulèrent les fameuses fêtes et réjouissances de l'époque de la Tulipe. Cet endroit est constitué d'une série de plateformes situées à différents niveaux, où viennent se placer, dans une harmonieuse disposition architecturale, des pavillons, des bassins et des jets d'eaux.

Du côté nord se situe **une plateforme pavée de marbre,** à laquelle on accède par des marches et où se trouve **un bassin** avec un jet d'eau. Autour de ce bassin, se situent les pavillons de Revan (Erivan), de Bagdad, de la Circoncision et un petit kiosque.

Nous classerons ces pavillons d'après leur date de construction, comme suit:

Pavillon de Revan: Il fut bâti pour commémorer la victoire de la bataille d'Erivan livrée par Murat IV en 1635. De plan octogonal, il présente dans sa décoration architecturale intérieure les caractéristiques de l'art du XVII° siècle. Les fenêtres ornées de vitraux, les portes de placards muraux incrustées de nacre et d'écaille, ainsi que son revêtement de carreaux de faience, sont tout à fait remarquables et dignes d'intérêt. Cet édifice fut un temps utilisé comme bibliothèque.

Pavillon de Bagdad: Il fut également construit sur l'ordre de Murat IV pour commémorer la campagne de Bagdad (1639). Par şa beauté et son élégance, c'est le plus remarquable des pavillons du palais de Topkapı. Du côté nord, il repose sur des

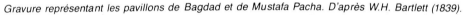

Gravure représentant les pavillons de Bagdad et de Mustafa Pacha. D'après W.H. Bartlett (1839).

Le Pavillon de Mustafa Pacha ou du Sofa.

Vue intérieure du pavillonde Bagdad.

colonnes. Il est de plan octogonal, avec un toit aux larges avancées. Les murs extérieurs et intérieurs sont revêtus de carreaux de faïence qui sont d'origine et d'une grande valeur artistique. Les portes du pavillon et celles des placards sont des chefs-d'oeuvre du travail local de la nacre. Les fenêtres hautes sont de beaux exemples de l'art ottoman du vitrail. Au-dessous de celles-ci, court tout autour de l'édifice une inscription coranique sur carreaux de faïence. La décoration du plafond et, en particulier, les ornements géométriques du bord de la coupole sont de rares et précieux exemples de l'art décoratif turc. A gauche de l'entrée, se trouve une belle cheminée en bronze doré.

La Pavillon de la Circoncision: Comme son nom l'indique, c'est l'endroit où était pratiquée la circoncision. C'est Ibrahim Ier qui, succédant à Murat IV, le fit bâtir pour faire le pendant des pavillons de Bagdad et de Revan. Le mur sud est revêtu intérieurement et extérieurement de beaux carreaux de faïence. En particulier, ceux de l'extérieur montrent des ornements floraux parsemés de quelques motifs animaliers. Il y a de petites fontaines à l'intérieur des fenêtres. Dans la salle, on peut voir une belle cheminée en bronze doré. C'est là que devait avoir lieu la circoncision des jeunes princes. Au bord de la plateforme, du côté regardant la Corne d'Or, il y a une sorte de petit kiosque ouvert sur les quatres côtés dit **kameriye**, construit par le même sultan, İbrahim Ier. C'est là, dit-on, que les sultans rompaient le jeûne pendant le Ramadan. L'intérieur et l'extérieur du baldaquin portent des inscriptions coraniques et des prières.

Vue partielle du pavillon de Bagdad.

Pavillon de Bagdad (vue extérieure).

Bassin devant le pavillon de Bagdad et, à l'arrière-plan, le pavillon de la Circoncision.

LE CABINET DU MÉDECIN EN CHEF

Ce bâtiment était à l'origine,lors de sa construction par Mehmet le Conquérant, une des tours du mur d'enceinte du palais. Il fut pendant longtemps utilisé par le médecin en chef comme pharmacie et cabinet de travail. Puis, au XIX° siècle, il fut transformé en école de musique des eunuques de l'**Enderun.** Pendant une certaine période, il fut même employé comme atelier de réparation des armes. On sait qu'à l'époque de Mahmut II, on construisit sur cette tour un étage en bois, que l'on supprima par la suite.

Derrière cette tour, il y a un fauteuil en pierre dans lequel s'asseyait Murat IV pour regarder les jeux de cirit et tombak. Cette tour s'appela également la Tour du Précepteur, parce que lorsque le médecin en chef préparait ses potions, il le faisait sous la surveillance du précepteur principal des princes.

Ce bâtiment, dont il ne reste plus actuellement que deux étages, a été restauré,puis on y a rassemblé tous les objets ayant trait à la médecine, provenant du Trésor du Palais ou d'autres endroits. Il a été récemment ouvert au public, en 1982, comme une section du musée.

Dans la pièce du rez-de-chaussée, on peut voir des objets servant à la pharmaceutique et à la confection des drogues. Celle du haut se présente comme le cabinet de travail du médecin en chef, où sont rassemblés des instruments et des ouvrages de médecine, ainsi que des planches de textes.

Flacon à potion avec son étui.

Vue Générale du Harem.

Bien que le nom de harem soit couramment utilisé, l'endroit où vivaient le sultan et ses femmes s'appelait aussi **"La Maison du Bonheur"**, **(Dar'üs-saade)**.

Quand on évoque le harem et l'attrait mystérieux qu'il a exercé à travers l'histoire, non seulement du palais ottoman, mais aussi de tous les pays orientaux, on pense immédiatement au harem du sérail de Topkapı. Dans quelle mesure et jusqu'à quel point connaît-on le harem dont on a traité pendant des siècles dans certains types de littérature et dont on a souvent parlé de façon imaginaire? En réalité, l'interdiction d'accès à toute personne autre que les serviteurs attachés au sultan et à sa famille - et ceci, soit pour des considérations d'ordre religieux, soit au nom de règles propres au palais de Topkapı -, ne fit que renforcer l'aspect mystérieux du harem. Comme, on le sait bien, les interdictions aiguisent toujours la curiosité, le harem suscita un vif intérêt et l'on raconta à son propos des histoires invraisemblables ou bien des choses inexactes; à partir de là, on se forgea une idée erronée de la vie au harem.

Etait-il interdit de raconter à l'extérieur la vie privée du sultan et de ses femmes au harem ? On ne dispose d'aucun document à ce sujet et, à la vérité, ce n'est pas réellement nécessaire. Les souverains du monde entier ont toujours tenu secrète leur vie privée. Dans le harem de Topkapı, la seule différence c'est que, sauf en cas de force majeure, il était interdit à toute personne étrangère au personnel d'y pénétrer. D'ailleurs, le mot harem signifie "lieu interdit". Que ce soit le Grand Vizir ou les vizirs, les ambassadeurs ou autres personnages du palais, nul ne pouvait y pénétrer. Tout au long de l'histoire du palais de Topkapı, seul un très petit nombre d'étrangers eurent l'occasion d'entrer dans le harem: le médecin du sérail, des ouvriers venus effectuer des réparations, des accordeurs de piano et d'orgues ou autres personnes de ce genre. Ce qu' ont pu rapporter de tels personnages ne nous renseigne guère sur les appartements et leur mobilier. En outre, en dehors du médecin, personne ne voyait les femmes.

Cour pavée de la Mère du Souverain.

Tous les repas, toutes les collations, réunions ou réceptions des hommes d'état turcs ou étrangers avaient lieu en dehors du harem.

Bien qu'on ne sache, en principe, pas grand'chose de la vie du harem, on en a toutefois un aperçu grâce à différents documents concernant son organisation et son fonctionnement. Les dépenses d'intendance et d'habillement nous donnent une idée du nombre des occupants du harem, les salaires et gratifications nous permettent de connaître les titres des divers personnages, les bonnes oeuvres accomplies par certains d'entre eux nous renseignent sur leurs caractères, enfin les lettres et documents, tels qu'ordres, autorisations et comptes, écrits de la main du sultan ou de hauts fonctionnaires du sérail, nous éclairent sur l'organisation et même sur la vie du harem.

Ce n'est que 70 ans après la construction du palais de Topkapı par Mehmet le Conquérant que le harem s'y transporta. Jusque là, les femmes du sultan avaient vécu dans le vieux palais, qui se trouvait dans l'actuel quartier de Beyazit. La date à laquelle fut construite la partie du harem à Topkapı et à laquelle s'effectua le transfert du harem du vieux au nouveau palais est sujette à discussion. Mais bon nombre de sources indiquent que cette partie fut construite sous le règne de Soliman le Magnifique, sur l'insistance de sa femme Roxelane (Hürrem Sultan). Le transfert s'effectua probablement par étapes et l'installation complète du harem, avec toutes les servantes qui lui étaient attachées **(cariyeler),** fut **terminée à l'époque de Murat III.**

Par la suite, un grand nombre de sultans effectuèrent des additions et, de ce fait, toute trace du plan original disparut dans un ensemble confus de constructions

Le Salon Impérial.

Harem. Le salon à la Fontaine.

Fontaine dans le Salon de Murat III.

diverses. Les sultans vécurent soit complètement soit en partie au harem de Topkapı. En effet, un certain nombre d'entre eux résidèrent à Andrinople, d'autres préférèrent au palais de Topkapı les résidences privées qu'ils avaient fait élever au bord du Bosphore ou de la Corne d'Or. Enfin, en 1853, une fois achevée la construction du palais de Dolmabahçe, peu à peu le harem et son personnel s'y transportèrent.

Les trois parties principales du Harem sont les suivantes:
- Les appartements des Eunuques noirs
- Les appartements des femmes du sultan
- Les appartements du sultan

Pour tous les occupants du harem, il y avait environ 300 pièces, des hammams, des lieux d'aisance ainsi qu'un hôpital et des cuisines pour les servantes. Les différents appartements étaient séparés par **des cours pavées** entourées de portiques et de pièces, chaque cour formant avec ses bâtiments une unité architecturale. Le harem, par son étendue et sa complexité, constituait à lui seul un véritable quartier.

Du Palais, l'accès au harem s'effectuait par deux portes, l'une étant **la porte des Voitures,** l'autre celle de l'office d'où l'on distribuait les repas. A chaque porte, les entrées et sorties étaient contrôlées par des eunuques noirs. D'ailleurs les bâtiments compris entre ces deux portes étaient entièrement réservés aux logements de ces personnages. Les eunuques noirs étaient envoyés principalement par les gouverneurs d'Egypte et ils étaient éduqués au Palais dans la discipline la plus stricte. Le chef des eunuques noirs de la Maison du Bonheur était, après le Grand Vizir, l'un des personnages les plus influents du Palais.

La porte d'entrée du harem qui se trouve aujourd'hui près de la Salle du Conseil **(Kubbealtı)** était à l'origine celle des appartements des eunuques noirs.
C'est par là que sortaient les femmes du harem pour monter en voiture. Une fois franchie cette porte, on pénètre dans une sorte de vestibule avec des placards. A propos de cet endroit courent un certain nombre de légendes.. Un peu plus loin, sur la gauche, se trouve la mosquée des eunuques noirs. Tous les murs, aussi bien ceux

Harem. Coupole du Salon de Murat III.

Le Harem, vue intérieure de la Chambre du Prince Héritier.

de la mosquée que ceux donnant sur les cours intérieures, sont recouverts de carreaux de faience. Dans les cours et les appartements, on peut voir au-dessus des portes des inscriptions de donations (**vakfiye**) ou de louanges au sultan.

A droite de la cour pavée se trouve la porte de **la tour de garde** du palais, qui est celle d'où le sultan suivait les réunions du Conseil des Ministres. Du côté gauche, il y a **les logements à trois étages des eunuques du harem.** En haut logeaient les eunuques nouvellement arrivés et ceux servant au harem depuis peu, en bas les anciens. Un peu plus loin, on trouve l'appartement du chef des eunuques et l'école des jeunes princes.

Les secteurs du harem où vivaient les femmes se groupent autour de **trois cours**, celle de la mère du sultan régnant, celle des servantes du harem, celle des favorites et des femmes ayant eu des enfants du sultan. **La cour de la mère du sultan** occupait une position centrale, qui permettait de contrôler à partir de là tout le harem. Elle était reliée aux autres appartements par des portes et des couloirs. En outre, ceux des femmes du sultan ouvraient sur la même cour. **Les apartements de la mère du sultan** étaient les plus vastes du harem, après ceux du sultan même, et se composaient d'un salon, d'une chambre, d'une salle de prière, de pièces de repos, de toilettes et d'un hammam. Les pièces de derrière donnaient sur la Corne d'Or. Selim III fit construire sur cet ensemble des appartements spécialement destinés à sa mère Mihrişah Sultan.

On peut observer dans cette partie du palais, comme partout ailleurs, des traces de chaque période, du XVI° au XIX° siècle. Les murs sont en général revêtus de carreaux de faïence. Les coupoles et les plafonds, ainsi que certains murs sont décorés de motifs floraux et de paysages peints. Un vaste hammam a été construit, contigu à celui du sultan.

Les servantes qui avaient déjà de l'ancienneté, ainsi que les surveillantes du harem qui exerçaient leur garde sous le contrôle de la mère du sultan, logeaient tout près des appartements de cette dernière. Leurs logements ouvraient sur une autre cour, plus petite. Chacun se composait d'une entrée, d'un salon, d'une chambre et d'une pièce pour les effets, avec une fontaine et un cabinet de toilette. Il y avait également pour tous ces appartements un hammam commun qui donnait sur la cour. Le reste des servantes habitaient pour un temps dans les dortoirs du dessus, qui donnaient directement sur les jardins privés du harem. Il y avait là aussi un hôpital qui leur était réservé. Les bâtiments en pierre qui le composaient sont toujours debout, avec le dortoir des malades, le hammam et les toilettes, divers offices, les chambres des malades, le lieu où l'on lavait les morts et la porte des morts.

La cour des servantes est reliée par un long couloir au poste de garde des eunuques. Dans ce corridor, il y avait, paraît-il, des sortes de tables de pierre sur lesquelles on posait les plateaux, qu'on apportait ou remportait lorsqu'on servait les repas. La cour des servantes du harem était reliée par d'autres portes à la cour et aux appartements de la mère du sultan.

Les femmes du sultan étaient logées dans les appartements qui bordent le côté nord de la cour de la mère du sultan. Du côté est et ouest de cette même cour, les étages étaient réservés aux servantes des femmes du sultan et aux surveillantes du harem.

Contigus aux appartements de la mère du sultan, il y a **deux hammams,** l'un qui était destiné au souverain, l'autre à sa mère. Ils présentent toutes les caractéristiques des hammams turcs avec le cabinet où l'on se déshabille et se rhabille, les pièces froide et chaude et, dans la partie chaude, les vasques et les pièces où l'on peut s'isoler. Les grilles de bronze qu'on voit dans ces dernières auraient été mises plus tard pour des raisons de sécurité.

Il y avait un important salon qui séparait les appartements de la mère du sultan de ceux du souverain. C'est le plus grand salon du harem, appelé **le Salon du Souverain.** En venant de la cour de la mère du sultan, on arrivait à ce salon après avoir traversé le ''salon avec la cheminée'' et celui ''avec la fontaine''. Dans le grand salon, il y a un trône à baldaquin pour le sultan et des sofas pour la mère du sultan, ses femmes et ses favorites, ainsi que divers meubles. La plupart de ces derniers ont été offerts par les souverains des pays d'Europe, mais ils n'appartiennent pas tous à ce salon. Au-dessus des endroits réservés aux femmes, il y a des sortes de mezzanines où se tenaient les musiciens. Ce salon était surtout destiné aux divertissements du sultan en compagnie de ses femmes. Le sol était entièrement recouvert de tapis. Aux fenêtres pendaient des rideaux faits dans des tissus de prix. On assistait là à des danses accompagnées de musique et aux pitreries des nains et bouffons.

La décoration des murs et des coupoles du salon, ainsi que **les carreaux de faïence,** appartiennent à des époques différentes. On a utilisé ici, à la place des carreaux de faïence ottomans, des carreaux de Delft, importés d'Europe. Ce revêtement de céramique, ainsi que les décors baroque et rococo, témoignent que le salon a subi des restaurations au XVIII° siècle. Les décorations des pendentifs sont remarquables et typiques du XVI° siècle. Une inscription coranique, sur un bandeau de faïence bleu et blanc, court sur les murs tout autour de la pièce.

Le pavillon et la cour, que l'on aperçoit des fenêtres du grand salon, ont été ajoutés au harem à une époque ultérieure, sous le règne de Osman III. Du côté ouest de cette cour, se trouvent les appartements de Selim III et d'Abdülhamit, qui ne sont pas ouverts au public.

Appartements du sultan

La Chambre impériale qui fut construit par Murat III et qui porte son nom, offre les caractéristiques à lui seul d'un pavillon. La fontaine, la cheminée, les baldaquins, les

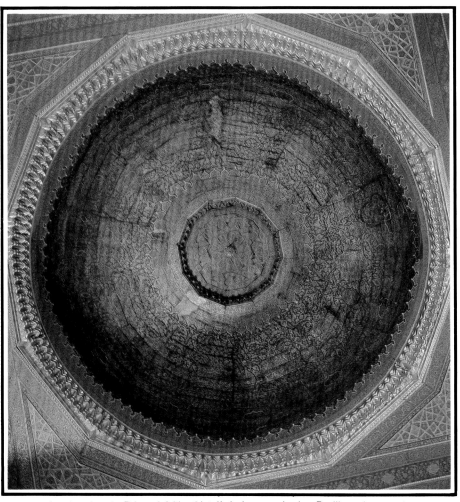

La chambre du Prince héritier (detail de la coupole des Pavillons Jumeaux).

revêments de carreaux de faience et les décorations du plafond sont typiques du XVI° siècle. Par la suite, pour des raisons de commodité, les sultans Ahmet Ier (début du XVII° siècle) et Ahmet III (début du XVIII°)y ajoutèrent respectivement **une bibliothèque et une salle à manger.** Les incrustations de nacre et d'écaille des portes des placards muraux de la bibliothèque, de même que les décorations des murs de la salle à manger, sont d'un art consommé et comptent parmi les plus beaux exemples d'art décoratif turc. Comme les boiseries des murs portent des décorations laquées représentant des fruits, la salle à manger d'Ahmet III est aussi appelée **"le salon aux fruits".** Cette pièce date probablement de 1705.

On n'est pas arrivé à déterminer exactement où se trouvait la chambre à coucher du sultan. D'après les sources historiques, on sait seulement que le soir on dressait un lit et une moustiquaire là où le souverain exprimait le désir de dormir.

Au XVII° siècle, quand les appartements construits par Murat III subirent des transformations, on y ajouta également ceux du **prince héritier,** du côté nord. Dans ces deux bâtiments qui communiquent, on peut observer un grand nombre de caractéristiques de l'art architectural turc. Les décorations effectuées sur le tissu qui double l'intérieur de la coupole, les revêtement de céramique , les vitraux, les portes de placard incrustées de nacre, tous ces éléments décoratifs mériteraient qu'on en fasse une étude détaillée et approfondie.Dans chaque appartement, il y a des cheminées et de belles fontaines de chaque côté de l'embrasure des fenêtres. Le côté extérieur du bâtiment qui ouvre sur la cour est également revêtu de carreaux de faience. Il porte un large toit en avancée, décoré d'ornements peints.

Lorsqu'on sort des appartements du prince héritier, on découvre sur la gauche une cour entourée **des appartements réservés aux favorites et aux femmes du sultan** (lui ayant donné un enfant). Au sud de cette cour, se situe l'antichambre servant de communication entre les appartements du **sultan Abdülhamit** Ier et ceux de ses femmes. D'après les documents historiques, on sait qu'à la place de ces bâtiments construits à la fin du XVIII° siècle, il en existait d'autres aux époques antérieures.

Le Chemin de l'Or: on appelle ainsi un long et étroit corridor qui va d'un bout à l'autre du harem, Il relie la cour des Eunuques noirs à la terrasse située derrière le pavillon des Reliques saintes. Autrefois les murs devaient être revêtus de carreaux de faience. On prétend que le nom de ce corridor vient du fait que, lorsque le sultan l'empruntait les jours· de fête, il distribuait aux servantes des pièces d'or. Dans ce corridor, il y a un escalier qui conduit aux appartements des femmes du sultan et· aux chambres de leurs servantes et gouvernantes.

Revêtement de carreaux de faïence et fenêtres à décor de plâtre dans la Chambre du Prince héritier.

LA VIE AU HAREM

La plus importante et la plus influente des femmes du harem était la mère du sultan **(Valide Sultan)**. Après elle, venaient les femmes du sultan **(kadın efendiler)**, celles qui lui avaient donné un enfant **(ikballer)**, celles qui étaient attachées à son service **(odalıklar)**, les surveillantes du harem **(ustalar)** et leurs adjointes **(kalfalar)** et enfin toutes les jeunes servantes **(cariyeler)**. Ces dernières, comme on peut le deviner, étaient les plus novices. Elles étaient généralement recrutées parmi les minorités ou bien offertes au sultan par les soeurs de celui-ci, par les gouverneurs ou autres hommes d'état. Elles venaient de pays différents, mais surtout du Caucase. Pendant des siècles on préféra les tcherkesses pour leur beauté, leur intelligence et leur finesse. Quand les jeunes filles arrivaient au sérail, on leur faisait passer un examen et on les classait suivant leur beauté ou leurs aptitudes. Après avoir reçu un enseignement distinct pour chacune de ces catégories, on plaçait les plus belles d'entre elles au service du sultan et les autres étaient initiées aux différents services du harem. Elles étaient prises en main par les surveillantes du harem et leurs adjointes, qui étaient des servantes ayant de l'ancienneté et de l'expérience. On peut donc classer les servantes du harem en

Harem. Le Salon à la Cheminée.

Roxelane, épouse de Soliman le Magnifique.

trois catégories: les novices, les surveillantes-adjointes et les surveillantes **(cariyeler, kalfalar, ustalar)**.

Le nombre des servantes du harem changeait suivant les sultans. Dans les premiers temps, leur nombre était réduit, puis il commença à augmenter à partir de Selim II. Les documents indiquent qu'il y en avait parfois jusqu'à 1.200. Elles recevaient un salaire mensuel satisfaisant et, au bout d'une période déterminée, elles pouvaient quitter le harem (sauf les servantes attachées au service du sultan). On mariait certaines d'entre elles à de hauts fonctionnaires et les frais de leur mariage étaient pris en charge par l'Etat. En ce qui concerne les surveillantes et leurs adjointes, lorsqu'elles avaient accompli 9 années de service au harem, elles pouvaient en partir et demander au sultan de les marier.

Les sultans pouvaient passer la nuit avec les servantes qui lui plaisaient. Toutefois, on connaît dans l'histoire ottomane l'exemple de servantes qui refusèrent les offres du sultan, malgré le désir pressant de celui-ci. On sait que des incidents de ce genre eurent lieu sous Abdülhamit Ier et Abdülhamit II. Ceci prouve que les servantes du harem pouvaient opposer une résistance aux désirs du sultan et

Le Harem, l'Appartement de la Mère du Sultan, Chambre à coucher.

refuser de s'y soumettre et aussi que les souverains ne pouvaient pas imposer toutes leurs volontés; d'un autre côté, c'est un témoignage du respect qui était porté à la femme.

Les sultans pouvaient également avoir des relations avec des femmes extérieures au harem. Certains eurent des liaisons avec des femmes d'Istanbul dont ils avaient entendu vanter les mérites. Afin de ne pas provoquer de jalousie au harem, ces liaisons s'établissaient par l'intermédiaire du Grand Vizir ou des vizirs ou des soeurs du sultan; il était préférable que cela se fît en cachette. Des lettres, écrites par Mustafa III dans de telles circonstances, nous sont parvenues.

On rapporte différentes versions concernant la manière dont le sultan remarquait une servante du harem et l'attachait à son service **(odalisque).** Il est probable qu'il les rencontrait par hasard, ou bien qu'il les choisissait en entendant leur voix ou leurs chants, ou bien encore en provoquant diverses opportunités. La servante qu'il avait remarquée était préparée tout spécialement à ses nouvelles fonctions. La femme qui avait passé une fois la nuit avec le sultan devenait odalisque. A partir de ce jour-là, on lui donnait un appartement et des servantes. Si elle avait un enfant du sultan, elle devenait une de ses femmes.

Si la première odalisque donnait un fils au sultan, elle devenait **première femme.** De ce fait, c'est généralement cette femme qui devenait par la suite Valide Sultan, c'est-à-dire mère du sultan. Si le sultan était las de son odalisque, il pouvait lui faire quitter le sérail en la mariant à un personnage attaché à son service.

Les femmes du sultan:

On appelait les femmes du sultan **kadın efendiler**, les ''dames''. Leur nombre ne dépassait pas la chiffre de 8.On les désignait par un numéro d'ordre, première dame, seconde dame, etc. Les femmes du sultan étaient choisies principalement parmi les favorites et les odalisques, si le sultan le jugeait bon. Quand elles

recevaient cette distinction, on leur attribuait des appartements particuliers et des servantes attachées à leur service. Leurs fils, quand ils avaient atteint l'âge voulu, devenaient gouverneurs de province et, quittant Istanbul, elles allaient vivre auprès d'eux. Mais cette règle changea et, par la suite, elles restèrent au sérail.

Quand un sultan mourait ou bien qu'il était détrôné, sa mère, ses femmes, ses soeurs et ses filles quittaient Topkapı et allaient s'installer dans l'ancien palais. La seule femme qui pouvait y revenir était celle dont le fils devenait sultan: elle prenait alors le titre de Valide Sultan.

Parfois, il arrivait que les sultans n'entretiennent pas de façon constante des relations avec ses femmes et ses odalisques et qu'ils s'intéressent d'un peu trop près à une nouvelle odalisque ou servante. Cela provoquait alors de vives jalousies au sein du harem, d'où parfois de graves incidents, dont les exemples sont nombreux dans l'histoire du harem. Un grand nombre d'incidents proviennent également du fait que les dames du palais voulaient voir leur fils devenir sultan.

Si le sultan était handicapé ou incapable, ou bien s'il mourait et qu'on mettait à sa place l'aîné de ses frères, sa mère et ses soeurs intervenaient constamment dans les affaires de l'Etat. Dans des circonstances normales, le sultan témoignait du respect à ses femmes. Quand elles souhaitaient sortir en ville, elles emmenaient leurs servantes et gouvernantes. Dans la voiture, l'un des eunuques du harem les accompagnait. L'habitude de sortir en promenade et excursion hors du palais fut prise surtout à l'époque de Mahmut II et continua par la suite (début du XIX° siècle).

Au dehors, les femmes portaient un grand manteau et un voile; dans le palais, elles retenaient parfois leurs longs cheveux tressés dans une haute toque, parfois elles portaient des aigrettes ou des diadèmes incrustés de brillants. Leur robe laissait voir en partie la poitrine; à leur taille, elles portaient une ceinture à boucle incrustée de brillants. Les étoffes de leurs vêtements changeaient suivant les saisons. Ils étaient en soie en été et en hiver doublés de fourrure. Elles se fardaient et se parfumaient.

Topkapı, la Mosquée Bleue, vue de la Porte Impériale.

LISTE DES PUBLICATIONS

TURQUIE (BN) *(En Français, Anglais, Allemand, Italien, Espagnol, Hollandais)*
ANCIENT CIVILIZATIONS AND RUINS OF TURKEY *(En English)*
ISTANBUL (B) *(En Français, Anglais, Allemand, Italien, Espagnol, Japonais)*
ISTANBUL (ORT) *(En Français, Anglais, Allemand, Italien, Espagnol)*
ISTANBUL (BN) *(En Français, Anglais, Allemand, Italien, Espagnol, Japonais)*
MAJESTIC ISTANBUL *(En Français, Allemand)*
TAPIS TURCS *(En Français, Anglais, Allemand, Italien, Espagnol, Japonais)*
TURKISH CARPETS *(En Français, Allemand)*
LA PALAIS DE TOPKAPI *(En Français, Anglais, Allemand, Italien, Italien, Espagnol, Japonais, Turc)*
SAINTE SOPHIE *(En Français, Anglais, Allemand, Italien, Espagnol)*
LE MUSEE DE KARİYE *(En Français, Anglais, Allemand, Italien, Espagnol)*
ANKARA *(En Français, Anglais, Allemand, Italien, Espagnol, Turc)*
L'Unique CAPPADOCE *(En Français, Anglais, Allemand, Italien, Espagnol, Japonais, Turc)*
CAPPADOCE (BN) *(En Français, Anglais, Allemand, Italien, Espagnol, Hollandais, Turc)*
EPHESE *(En Français, Anglais, Allemand, Italien, Espagnol, Japonais)*
EPHESE (BN) *(En Français, Anglais, Allemand, Italien, Espagnol, Hollandais)*
APHRODISIAS *(En Français, Anglais, Allemand, Italien, Espagnol, Turc)*
THE TURQUOISE COAST OF TURKEY *(En Français)*
PAMUKKALE (HIERAPOLIS) *(En Français, Anglais, Allemand, Italien, Espagnol, Hollandais, Japonais, Turc)*
PAMUKKALE (BN) *(En Français, Anglais, Allemand, Italien, Espagnol)*
PERGAME *(En Français, Anglais, Allemand, Italien, Espagnol, Japonais)*
LA LYCIE (AT) *(En Français, Anglais, Allemand)*
CARIE (AT) *(En Français, Anglais, Allemand)*
ANTALYA (BN) *(En Français, Anglais, Allemand, Italien, Hollandais, Turc)*
PERGE *(En Français, Anglais, Allemand)*
ASPENDOS *(En Français, Anglais, Allemand)*
ALANYA *(En Français, Anglais, Allemand, Turc)*
VAN-Capitale de l'Urartu *(En Français, Anglais, Allemand)*
TRABZON *(En Français, Anglais, Allemand, Turc)*
LA CUISINE TURQUE *(En Français, Anglais, Allemand, Italien, Espagnol, Hollandais, Japonais, Turc)*
NASREDDİN HODJA *(En Français, Anglais, Allemand, Italien, Espagnol, Japonais)*
TÜRKÇE-JAPONCA KONUŞMA KILAVUZU *(Japonais-Turc)*
ANADOLU UYGARLIKLARI *(Turc)*

CARTES GEOGRAPHIQUES

TURQUIE (NET), TURQUIE (ESR), TURQUIE (OUEST)
TURQUIE (SUD-OUEST), ISTANBUL, MARMARİS,
ANTALYA-ALANYA, ANKARA, İZMİR, CAPPADOCIA

NET® LIBRAIRIES

ISTANBUL

Galleria Ataköy, Sahil Yolu, 34710 Ataköy - Tél: (9-1) 559 09 50
Ramada Hotel, Ordu Caddesi, 226, 34470 Laleli - Tél: (9-1) 513 64 31
İZMİR

Cumhuriyet Bulvarı, 142/B, 35210 Alsancak - Tél: (9-51) 21 26 32

BAZAAR 54 İSTANBUL

Nuruosmaniye

Qualité
Fiabilité & Service

Tapis

Bijoux

Cuir

Souvenirs

• Bazaar 54 İSTANBUL Nuruosmaniye Cad. No: 54-65-67-83 Cağaloğlu Tel: (0212) 511 21 50 - 511 21 00

• Akmerkez Nispetiye Cad. Etiler Tel: (0212) 282 08 33 • Galleria Ataköy Tel: (0212) 559 03 24

• Capitol Tophanecioğlu Cad. Aksoy Sok. No: 24 Altunizade Tel: (0216) 341 07 14 • Beylerbeyi İskele Cad. No: 23 Beylerbeyi Tel: (0216) 321 47 20

• Bazaar 54 ANTALYA Aspendos Küçük Belkıs Köyü Kürtali Mevkii Serik Tel: (0242) 735 72 81

• Bazaar 54 KAPADOKYA Zelve Yolu 50500 Avanos-Nevşehir Tel: (0384) 511 24 54

• Bazaar 54 TAVAS Cankurtaran Mevkii Tavas - Denizli Tel: (0258) 637 42 38

• Bazaar 54 KUŞADASI Atatürk Bulvarı No: 24 Kuşadası - Aydın Tel: (0256) 614 34 11 • Bazaar 54 SULTANKÖY Çamlık Selçuk - İzmir Tel: (0232) 894 80 80

BAZAAR 54 est un établissement du Groupe Net.